Le surréalisme et ses alentours

anthologie poétique

Textes choisis, présentés, annotés et commentés
par
SERGE BAUDIFFIER
agrégé des lettres
et
JEAN-MARC DEBENEDETTI
certifié de lettres modernes

Collection fondée par Félix Guirand, agrégé des lettres

LAROUSSE

Sommaire

© Larousse 1992
ISBN 2-03-871587-4

Les enfants de Rimbaud, Marx et Freud

Vous avez dit « surréalisme » ?

Le surréalisme est officiellement né en 1924, avec la parution du *Manifeste du surréalisme,* d'André Breton, et a été dissous par Jean Schuster en 1969. André Breton a été jusqu'à sa mort (1966) l'animateur et le théoricien de ce mouvement dont l'esprit et l'action ont marqué profondément le XXe siècle.

Le terme, cependant, n'est pas de Breton ; il est emprunté à Guillaume Apollinaire (1880-1918) qui présentait ainsi sa pièce *les Mamelles de Tirésias :* « drame surréaliste ». C'était une façon de rendre hommage au poète qui venait de mourir et grâce à qui les vocables de « surréalisme » et de « surréaliste » circulaient depuis 1917 pour désigner assez confusément un certain état d'esprit. André Breton donnera un sens plus précis à ces mots par des mises au point successives, des prises de position, des manifestes, des bilans et des entretiens, etc., tandis que ses amis proposeront leurs propres définitions.

La période Dada

Dès 1919, de jeunes poètes se regroupent pour fonder la revue *Littérature :* Louis Aragon, Philippe Soupault (1897-1990) et André Breton ont à peine vingt-trois ans et le désir commun de « changer la vie », selon la formule d'Arthur Rimbaud (1854-1891) qu'ils admiraient. Comme lui encore, ils tentent de se faire « voyants » et préconisent un « dérèglement de tous les sens » dans l'exploration de l'inconscient. À cette fin, ils reprennent à leur compte la pratique de l'« écriture automatique » que Breton, alors étudiant en médecine et interne à l'hôpital de Saint-Dizier, avait expérimentée sur des malades mentaux. Ils espèrent, grâce à une baisse de la vigilance, parvenir à exprimer une réalité psychique inconnue (voir p. 215) qui, dans son fonctionnement, rejoint le rêve. Soupault et Breton publient en 1920 *les Champs magnétiques,* recueil de poèmes qui passe pour la première œuvre surréaliste. Écrit en huit jours, il est le résultat de cette pratique que Breton explique ainsi :

« On vide son esprit,

On laisse les mots jaillir spontanément,

On laisse parler le langage, s'opérer une sorte de dictée de l'inconscient,

On transcrit strictement ce qui apparaît dans la conscience claire. »

La même année, Tristan Tzara (1896-1963) rejoint à Paris le groupe de la revue *Littérature,* sur l'invitation de Breton. Ce poète d'origine roumaine avait fondé le mouvement Dada à Zurich (Suisse) en 1916. Essentiellement provocateur, Dada apparaît comme une protestation véhémente contre toutes les valeurs bien-pensantes de l'époque. Il ne propose rien, s'oppose à tout et incarne la révolte à l'état pur. Pourtant, il se fonde sur une morale de la création : les dadaïstes identifient la poésie à la vie elle-même.

Pendant deux ans, de 1920 à 1922, le groupe de la revue *Littérature* constitue l'avatar parisien du dadaïsme, en recherchant le scandale à tout prix. Conférences, manifestations, provocations et expositions se succéderont jusqu'à la lassitude de tous les participants, Tzara excepté.

Changer la vie !

Breton reprochant à Tzara son attitude systématiquement négative, la rupture était inévitable. Elle est consommée dans

Au rendez-vous des amis, de Max Ernst (coll. Dr Lydia Bau, Hambourg).
Les surréalistes et leurs amis en décembre 1922 ; de gauche à droite : René
Crevel (n° 1), Philippe Soupault (n° 2), Hans Arp (n° 3), Max Ernst (n° 4),

Paul Eluard (n° 9, au centre), Jean Paulhan (n° 10), Benjamin Péret (n° 11),
Louis Aragon (n° 12), André Breton (n° 13), Giorgio De Chirico (n° 15),
Gala Éluard (n° 16), Robert Desnos (n° 17) et quelques autres...

l'année 1921 à l'occasion du « procès » de Maurice Barrès. Il s'agit d'attaquer un auteur dont les idées réactionnaires et nationalistes sont dénoncées comme une « trahison à la sûreté de l'esprit ». En même temps, les futurs surréalistes cherchent à donner un sens éthique à la révolte gratuite menée jusque-là par Dada. Ils s'affirment contre l'esprit purement destructeur du mouvement créé par Tzara.

La nouvelle série de la revue *Littérature,* parue en 1922, n'a plus rien à voir avec le dadaïsme et préfigure déjà le surréalisme. Les deux années qui suivent correspondent à l'« époque des sommeils ». Le groupe s'est considérablement élargi et s'intéresse, sous l'impulsion de Breton, à tout « ce qui se trame à l'insu de l'homme » ; il pratique l'auto-hypnose (où se distinguent particulièrement les « médiums » Crevel, Péret et Desnos) et publie des récits de rêves. Par cette démarche, ils cherchent avant tout à atteindre la connaissance de l'être pour ainsi transformer les conditions matérielles de l'existence.

La révolution surréaliste

En 1924, le groupe précise son combat et publie une nouvelle revue : *la Révolution surréaliste.* Il organise un « bureau de recherches surréalistes ». Parallèlement, André Breton définit sa démarche dans *le Manifeste du surréalisme :*

« SURRÉALISME, n. m. Automatisme psychique pur par lequel on se propose d'exprimer, soit verbalement, soit par écrit, soit de toute autre manière, le fonctionnement réel de la pensée. Dictée de la pensée, en l'absence de tout contrôle exercé par la raison, en dehors de toute préoccupation esthétique ou morale.

ENCYCL. *Philos.* Le surréalisme repose sur la croyance à la réalité supérieure de certaines formes d'associations négligées jusqu'à lui, à la toute-puissance du rêve, au jeu désintéressé de la pensée. Il tend à ruiner définitivement tous les autres mécanismes psychiques et à se substituer à eux dans la résolution des principaux problèmes de la vie. »

Cet appel à « la toute-puissance du rêve » illustre l'accord de Breton avec les théories de Freud (1856-1939), le fondateur de la psychanalyse. Selon lui, l'inconscient s'exprime lors d'une baisse de la vigilance, sous une forme imagée susceptible d'être déchiffrée. Freud fait la distinction entre le contenu manifeste du psychisme et le contenu latent (caché) ; le premier peut être laissé à son état d'image poétique souvent insolite (« d'un type assez rare », disait Breton), le second livre un sens correspondant à une pensée refoulée dans l'inconscient et dont l'expression finale est celle du désir.

Mais, contrairement à Freud et à ses adeptes, les surréalistes

Séance de rêve éveillé en 1924. Photographie de Man Ray.
Musée national d'Art moderne, Paris.

tentent aussi une action subversive contre les valeurs bourgeoises de propriété et de travail. Le surréalisme s'élève contre toute forme d'aliénation émanant d'une société fondée sur le seul profit et régie par un ordre policier et judiciaire. Il poursuit donc un double but : réconcilier l'homme avec son « moi caché » et intervenir sur le plan social pour abolir l'exploitation de l'homme par l'homme déjà dénoncée par le philosophe allemand Karl Marx (1818-1883).

De la révolte à l'engagement politique

Alors que la révolte individuelle caractérisait Dada, une révolution d'ordre social est donc jugée indispensable par Breton et ses amis. Ceux qui refuseront de se soumettre à cet engagement ne pourront prendre part à l'aventure surréaliste. En 1925, Breton écrit : « Dans l'état actuel de l'Europe, nous demeurons acquis au principe de toute action révolutionnaire, quand bien même elle prendrait pour point de départ une lutte des classes [...]. Il n'est personne de nous qui ne souhaite le passage du pouvoir des mains de la bourgeoisie à celle du prolétariat » (*la Révolution surréaliste,* n° 4).

Dès cette époque, un rapprochement s'opère entre les surréalistes et des groupes communistes comme « Clarté » ou « Philosophies ». Aragon, Breton, Eluard et Péret adhèrent au parti communiste en 1927, mais certains n'y resteront que peu de temps. La marque de ce ralliement provisoire apparaît dans le titre de la nouvelle revue : *le Surréalisme au service de la révolution* (1930-1933), qui succède à *la Révolution surréaliste*. Cependant, Breton se trouve en butte à d'incessantes tracasseries de la part des responsables du parti communiste français. De plus, en 1931, les thèses du surréalisme sont condamnées au congrès de Karkhov, où est défini le « réalisme socialiste ». Aragon, qui a accepté de se plier à la doctrine du parti, est bientôt exclu du mouvement surréaliste.

Malgré l'engagement des surréalistes auprès des forces de gauche unies en 1934, la rupture avec le parti communiste français est consommée en 1935. Dès leur début, Breton s'oppose avec force aux procès staliniens qui liquident une grande partie des premiers combattants de la révolution de 1917. Il dénonce la trahison de l'idée de révolution et se rapproche de la position de Léon Trotski, le fondateur de l'Armée rouge, désormais en exil.

En 1937, Benjamin Péret adhère à la IVᵉ Internationale, parti communiste dissident fondé par Trotski. Il va se battre en Espagne aux côtés des républicains contre le fascisme de Franco. Breton rencontre Trotski au Mexique en 1938. Ensemble, ils rédigent le manifeste de la « Fédération internationale des artistes révolutionnaires indépendants » (F.I.A.R.I) où il est affirmé que, « si pour le développement des forces productives matérielles la Révolution est tenue d'établir un régime socialiste de plan centralisé, pour la création intellectuelle elle doit, dès le début même, établir et assurer un régime anarchiste de liberté individuelle ».

Le surréalisme dans la guerre et après

En 1938, le mouvement surréaliste rejette presque en même temps Eluard et Dalí, le premier pour son retour au parti communiste français, le second pour ses sympathies affichées envers le fascisme. Pendant l'occupation allemande, à partir de 1940, un certain nombre de surréalistes s'expatrient : Breton et Max Ernst à New York, Péret au Mexique... D'autres participent activement à la Résistance et se manifestent notamment dans *la Main à plume,* publication collective anonyme qui donne aussi son nom au seul groupe surréaliste organisé existant pendant toute cette période. Paul Eluard participe un temps à ces activités clandestines, puis rejoint Louis Aragon dans la Résistance auprès du parti communiste français. Ils mettent alors leur talent de poètes au service de ce combat. De 1942 à 1944, Breton publie à New York avec les artistes Max Ernst et Marcel Duchamp la revue *VVV,* signe de la vitalité du surréalisme.

Après la Libération, le groupe surréaliste se retrouve à Paris autour de Breton et de Péret. Il accueille de nouveaux venus (écrivains, poètes et critiques), révèle des auteurs comme Joyce Mansour et Jean-Pierre Duprey. Plusieurs revues se succèdent : *Médium* (1952-1953), *le Surréalisme, même* (1956-1959), *la Brèche* (1961-1965) et enfin *l'Archibras* (1967-1969). Des expositions collectives sont organisées, des surréalistes s'engagent politiquement à l'occasion de toutes les crises mondiales : guerre d'Indochine (1946-1954), guerre d'Algérie (1954-1962), intervention soviétique à Budapest en 1956 et à Prague en 1968.

Après la mort d'André Breton en 1966, le groupe est amené à se dissoudre. L'acte de décès est signé par Jean Schuster dans son article : « le Quatrième Chant », publié dans le journal *le Monde* du 4 octobre 1969.

Comme groupe constitué, le surréalisme aura duré presque cinquante ans, au terme desquels on peut évaluer l'influence déterminante de ce mouvement sur la culture occidentale du XXᵉ siècle. Par son envergure et son projet, par sa durée et son impact sur la sensibilité du monde moderne, il a fait éclater les classifications littéraires et artistiques habituelles : son enjeu dépassait le cadre strict de la littérature. Il a modifié le sens du mot « poésie » en désignant par ce terme l'aventure spirituelle qui permet à l'homme de dépasser la routine de son existence et la misère de sa condition. Le surréalisme a permis un renouvellement total de l'inspiration poétique et a été le révélateur de nouveaux auteurs. Aujourd'hui, il occupe une place comparable à celle qu'occupait le romantisme au XIXᵉ siècle. Moteur pendant des décennies de la création artistique sous toutes ses formes, il a ensuite perdu de sa combativité, mais reste une référence pour qui veut changer l'homme... et la vie.

Aux alentours du surréalisme

Aussi grande qu'ait été la force d'attraction du mouvement surréaliste sur la génération de l'entre-deux-guerres, tous les poètes de l'époque n'ont pas jugé bon de s'y intégrer. Certains, déjà parvenus à la maturité, comme Léon-Paul Fargue ou Saint-John Perse, sont décidément restés à l'écart, bien qu'ils aient été reconnus par les surréalistes.

D'autres, plus jeunes (Pierre Jean Jouve, Jules Supervielle ou Henri Michaux...), ont suivi leur voie, personnelle et solitaire, mais une parenté de conception et de préoccupations les rapproche du mouvement. Francis Ponge, quant à lui, y a adhéré brièvement, puis s'en est détourné pour revenir à une vision plus classique, à une poésie plus descriptive et rationnelle. Mais, pour aucun d'entre eux, la grande leçon de liberté et d'audace expressive du surréalisme n'a été perdue.

Québec 1947

États-Unis 1936

océan Atlantique

Mexique 1938

Antilles 1932

Brésil 1963

Pérou 1935

océan Pacifique

Chili 1938

Argentine 1928

LES PREMIÈRES MANIFESTATIONS SURRÉALISTES

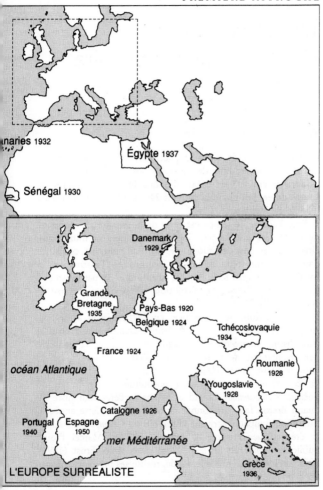

naries 1932

Égypte 1937

Sénégal 1930

Danemark
1929

Grande
Bretagne
1935

Pays-Bas 1920

Belgique 1924

Tchécoslovaquie
1934

France 1924

Roumanie
1928

Yougoslavie
1928

océan Atlantique

Catalogne 1926

Portugal
1940

Espagne
1950

mer Méditérranée

Grèce
1936

L'EUROPE SURRÉALISTE

15

Le surréalisme : cinquante ans d'histoire

Avoir 20 ans en 1916...

Quand Tzara fonde, à 20 ans, le mouvement Dada (Zurich, 1916), la guerre dure depuis deux ans, alors que chaque belligérant croyait, au début des hostilités, à un conflit de courte durée. Les Français perdent 240 000 hommes à la seule bataille de Verdun.

Pour l'arrière, le temps est venu de la censure, du bourrage de crâne, des impôts plus lourds. Les grèves se multiplient, ainsi que les manifestations de rue. La perte de confiance dans les valeurs républicaines et bourgeoises (l'instruction, la foi dans le progrès technique et scientifique, le patriotisme...) s'installe. En Russie, la révolution bolchevique renverse le tsarisme (1917).

À la signature de l'armistice, en 1918, Breton a 22 ans, Aragon et Soupault 21. De leur rencontre va naître le surréalisme, mouvement artistique et littéraire, courant de pensée, manière de vivre et façon d'être. 1918 est aussi la date de parution du *Manifeste Dada,* de la mort d'Apollinaire (à 38 ans) et de la publication, posthume, de son recueil de poésies, *Calligrammes.* Eluard a 24 ans et Péret tout juste 20 quand Breton fait leur connaissance, en 1919. Cette année-là, Breton et Soupault écrivent ensemble *les Champs magnétiques* et créent, avec Aragon, la revue *Littérature.* Marcel Proust publie *À l'ombre des jeunes filles en fleurs.* Max Ernst (1891-1971), peintre d'origine allemande, réalise ses premiers collages au début de la guerre.

Les années 20 : illusions perdues ?

Au lendemain de la guerre, la France a perdu 10 % de sa population active (1,4 million de morts et de disparus, 3 millions de blessés). Les femmes ont adopté des comportements auparavant exclusivement masculins : elles ont travaillé à l'extérieur, assumé le rôle de chef de famille. C'est l'époque des « garçonnes » aux robes et aux cheveux courts et d'une certaine liberté de mœurs. On découvre le jazz et le tango, l'industrie cinématographique prospère. Est-ce la joie de vivre ? le besoin d'oublier ?

1920 : naissance d'un parti communiste français, par scission d'avec les socialistes (congrès de Tours). Hitler prend la tête du parti national-socialiste allemand. Tzara arrive à Paris ; Breton et son groupe rejoignent le mouvement Dada.

1921 : « procès de Maurice Barrès » (58 ans, écrivain nationaliste d'extrême droite) par Dada. Breton se rend à Vienne, où il rencontre Freud, qui a publié, en 1916, *Introduction à la psychanalyse*. Aragon publie *Anicet ou le Panorama* (récit parodique) et Péret *le Passager du transatlantique*. Parution du *Laboratoire central* de Max Jacob (1876-1944).

1922 : en Italie, Mussolini prend le pouvoir. L'U.R.S.S. remplace officiellement la Russie ; Staline est secrétaire général du parti.
Breton rompt avec Tzara. Le groupe Aventure, composé de Baron (17 ans), Crevel, Desnos, Limbour (22 ans chacun) et Vitrac (23 ans), rejoint Breton et ses amis. Les premières expériences de sommeil hypnotique sont menées ; la revue *Littérature* paraît sous une autre forme (2ᵉ série) et lance une grande enquête : « Pourquoi écrivez-vous ? ». Desnos publie *Rrose Sélavy*.
Arrivée à Paris de Man Ray (1890-1976), peintre et photographe américain, et de Max Ernst. *Les Thibault,* roman-fleuve de R. Martin du Gard, commence à paraître. Publication du

Diable au corps, court roman de R. Radiguet dont le sujet fait scandale.

1923 : dernière soirée Dada. Breton publie *Clair de terre.* Le dessinateur André Masson et le peintre espagnol Joan Miró réalisent les premières application d'automatisme dans les arts plastiques.

1924 : mort de Lénine. La France reconnaît l'Union soviétique. Naissance officielle du surréalisme, avec la publication du *Manifeste du surréalisme* (Breton). *La Révolution surréaliste,* revue dirigée par Naville et Péret, puis par Breton, prend la place de *Littérature.* Eluard publie *Mourir de ne pas mourir* et Péret *Immortelle Maladie.* Artaud (28 ans) et Raymond Queneau (21 ans) se rapprochent du groupe.
Publication d'*Anabase,* de Saint-John Perse, de *Documentaires* (de Cendrars) et de *Knock* (comédie de Jules Romains).

1925 : Leiris (24 ans) et Prévert (25 ans) entrent dans le groupe surréaliste, ainsi que le peintre et sculpteur Hans Arp. Aragon publie *le Mouvement perpétuel* et Artaud *l'Ombilic des limbes.* Ernst exécute ses premiers frottages. La première exposition surréaliste a lieu : elle présente des œuvres de Arp, De Chirico, Ernst, Klee, Masson, Miró, Picasso, Man Ray et Pierre Roy.
Parution de la traduction française de l'essai de Freud, *le Rêve et son interprétation* et du *Procès* (roman posthume de Kafka). Publication des *Faux-Monnayeurs,* roman d'André Gide.

1926 : dévaluation vertigineuse du franc.
Breton rompt avec Soupault et Artaud. Aragon publie un roman, *le Paysan de Paris,* et Eluard un nouveau recueil de poésies, *Capitale de la douleur.*
Publication d'une édition du *Poète assassiné* (Apollinaire) illustrée par Raoul Dufy. Sortie de *Sous le soleil de Satan,* roman de Georges Bernanos.

1927 : en U.R.S.S., Trotski est exclu du parti. Aux États-Unis, exécution de Sacco et de Vanzetti, immigrés italiens et anarchistes militants accusés (à tort) de l'attaque d'une banque en 1920.

Aragon, Breton, Péret et Eluard adhèrent au P.C.F. Les membres du groupe continuent à publier : *Introduction au discours sur le peu de réalité* (Breton), *la Liberté ou l'amour* (Desnos), *Dormir dormir dans les pierres* (Péret), *Babylone* et *l'Esprit contre la raison* (Crevel). Le peintre belge Magritte s'installe à Paris et participe aux activités collectives du groupe surréaliste.

Henri Michaux fait paraître *Qui je fus.*

Nº 8 — Deuxième année   1ᵉ Décembre 1926

LA RÉVOLUTION SURRÉALISTE

CE QUI MANQUE   C'EST LA

À TOUS   DIALECTIQUE

CES MESSIEURS   (*ENGELS*)

Couverture de *la Révolution surréaliste,* nº 8 (décembre 1926, détail) avec une citation de Engels, ami de Karl Marx : « Ce qui manque à tous ces messieurs, c'est la dialectique. » Ce numéro comportait notamment une étude d'Eluard sur « D.A.F. de Sade, écrivain fantastique et révolutionnaire », des poèmes de Breton, Péret, Leiris, Artaud, Eluard, Desnos et du comédien Pierre Brasseur.

19

1928 : aux États-Unis, l'« American Way of Life » s'épanouit (prospérité mais aussi intolérance, manifestée notamment par la prohibition et l'action du Ku Klux Klan).

Aragon rencontre le poète russe Maïakovski et Elsa Triolet. Daumal (20 ans) crée une revue avec Gilbert-Lecomte, *le Grand Jeu*. Breton publie un roman, *Nadja,* ainsi qu'un essai, *le Surréalisme et la peinture.* Péret fait paraître un recueil de poèmes intitulé aussi *le Grand Jeu.*

Fin de la publication, posthume, de *À la recherche du temps perdu* (Proust). Parution des *Conquérants* (roman de Malraux). Débuts du cinéma parlant.

1929 : krach boursier à New York. Trotski est expulsé d'U.R.S.S. ; Staline jouit du pouvoir absolu. Le cinéaste

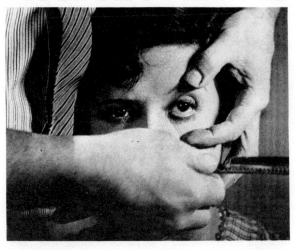

Photo extraite du film de Luis Buñuel *le Chien andalou* (1928).

espagnol Luis Buñuel (29 ans), auteur du *Chien andalou,* sorti l'année précédente, son compatriote, le peintre Salvador Dalí (25 ans) et le poète français René Char (22 ans) rejoignent le groupe surréaliste tandis que Baron, Prévert, Desnos, Leiris et Queneau le quittent. Breton et Tzara se réconcilient. Publication du *Second Manifeste du surréalisme* (Breton), de *Êtes-vous fous ?* (Crevel), *l'Amour, la poésie* (Eluard), *la Femme 100 têtes* (roman-collage de Max Ernst). Dalí met au point sa « méthode paranoïaque-critique », en opposition à l'automatisme, tandis que le peintre et sculpteur suisse Giacometti commence à se laisser guider par son inconscient pour réaliser ses sculptures. Parution d'*Espaces* (Fargue). La littérature théâtrale est particulièrement active : *les Enfants terribles* (Cocteau), *Amphitryon 38* (Giraudoux), *le Soulier de satin* (Claudel), etc. Publication du roman de Giono *Colline.*

Les années 30 : sur fond de crise, la marche à la guerre

La récession économique américaine s'étend à l'ensemble du monde capitaliste, durablement. Toutes les classes sociales françaises sont touchées et plus d'un million d'hommes sont au chômage. C'est pire encore en Allemagne, pays censé payer les réparations de la Première Guerre mondiale.

1930 : Aragon et le critique Georges Sadoul participent à la deuxième conférence des écrivains révolutionnaires à Karkhov, en U.R.S.S.
Le Surréalisme au service de la révolution, revue dirigée par Breton, remplace *la Révolution surréaliste.* Breton, Char et Eluard publient ensemble *Ralentir travaux,* Desnos *Corps et Biens.*
Parution de *la Voie royale,* roman de Malraux.

1931 : une révolution renverse la monarchie espagnole ; dans un tract intitulé *Au feu,* les surréalistes manifestent leur soutien

aux républicains. L'Espagnol Picasso (1881-1973) se rapproche des surréalistes, ainsi que de nombreux artistes venus d'Allemagne, comme Hans Bellmer (1902-1975), de Suisse, d'Autriche... Aragon publie *Front rouge* et Breton *Union libre.*
En France paraissent aussi *Vol de nuit* (Saint-Exupéry) et *l'Enfant de la haute mer* (récit de Supervielle). Aux États-Unis, Faulkner publie *Sanctuaire.*

1932 : Staline dirige les premières « épurations » en U.R.S.S. « L'affaire Aragon » amène les surréalistes à rompre avec le poète.
Parution des *Vases communicants* et du *Revolver à cheveux blancs,* de Breton, ainsi que de *la Vie immédiate,* d'Eluard.
Publication du roman de Céline *Voyage au bout de la nuit* et du recueil de Fargue *le Piéton de Paris.*

1933 : Hitler est élu chancelier en Allemagne et organise en quelques mois un gouvernement nazi. Aux États-Unis, le démocrate Roosevelt, élu président à la fin de 1932, entame sa politique du *New Deal.*
Le groupe surréaliste crée une nouvelle revue d'art, *le Minotaure.* Pierre Jean Jouve publie *Sueur de sang.* Parution du roman de Malraux *la Condition humaine.*

1934 : Hitler est le seul maître de l'Allemagne. À Paris, le 6 février, les ligues d'extrême droite manifestent et déstabilisent le régime parlementaire. Le P.C.F. et la S.F.I.O. interprètent cet événement comme une grave menace fasciste et signent un pacte d'unité d'action. Un comité de vigilance des intellectuels contre le fascisme est créé, auquel les surréalistes adhèrent immédiatement.
Parution de *Qu'est-ce que le surréalisme ? Point du jour* et *l'Air de l'eau* (Breton), *la Rose publique* (Eluard) et *Héliogabale* (Artaud).
Supervielle publie *les Amis inconnus.*

1935 : Staline engage en U.R.S.S. les premiers « procès » visant à éliminer tous les opposants.

Crevel se suicide à l'âge de 35 ans. Breton est exclu du P.C.F. ; il écrit *Position politique du surréalisme,* et Picasso, *Poèmes.* Début de l'internationalisation de l'art surréaliste (expositions en Europe, puis, bien plus tard, à New York et au Japon). Publication de *La guerre de Troie n'aura pas lieu,* pièce de Giraudoux (1882-1944).

1936 : en Espagne, puis en France, victoire du Front populaire aux élections. Cet événement déclenche une guerre civile en Espagne. L'écrivain Federico García Lorca est assassiné par les franquistes. Eluard écrit *les Yeux fertiles* et, en collaboration avec Breton, *Notes sur la poésie.* Paraissent également *Je sublime* et *Je ne mange pas de ce pain-là* de Péret ainsi que *le Contre-Ciel* de Daumal.

1937 : Breton fait une déclaration contre la politique stalinienne *(la Vérité sur les procès de Moscou),* écrit *De l'humour noir* et *l'Amour fou.* La guerre civile espagnole fait rage ; Péret s'engage dans les rangs de l'armée républicaine ainsi que Malraux, qui écrit *l'Espoir* (roman).
De retour du Mexique, Artaud est interné en hôpital psychiatrique.

1938 : Hitler envahit la Tchécoslovaquie et les gouvernements européens le laissent faire, pensant ainsi préserver la paix

L'Œuf de l'église, collage d'André Breton (1933).

(conférence de Munich). Breton rencontre Trotski au Mexique et fonde avec lui la F.I.A.R.I.

Parution du *Théâtre et son double* (Artaud), de *la Grande Beuverie* (Daumal). Exposition surréaliste à Paris : soixante-dix artistes de quatorze pays différents sont représentés. Julien Gracq, un jeune admirateur des surréalistes, fait paraître son premier roman : *Au château d'Argol.*

Autre premier roman : *la Nausée,* de Sartre, qui connaît un succès retentissant.

Les années de guerre (1939-1945) : résistances et exils

L'avancée du fascisme en Europe et la guerre qui s'ensuit vont diviser les Français et entraîner de nouvelles scissions dans le groupe surréaliste. Certains s'engageront dans la Résistance aux côtés du P.C.F., d'autres fuiront le nazisme et choisiront l'exil.

1939 : la guerre civile espagnole s'achève sur la victoire du général Franco. Hitler et Staline signent un pacte de non-agression ; l'Allemagne envahit la Pologne : la Seconde Guerre mondiale commence.

Les artistes surréalistes, notamment le peintre chilien Matta (né en 1911), tendent à "l'automatisme absolu".

Freud meurt en exil (à Londres). Publication de *Terre des hommes* (Saint-Exupéry) et du récit autobiographique de Leiris, *l'Âge d'homme.*

1940 : fin de la « drôle de guerre », qui se solde par l'invasion allemande de la France au nord de la Loire (mai-juin). Le maréchal Pétain obtient les pleins pouvoirs et engage une politique de collaboration avec l'occupant.

Breton publie *Anthologie de l'humour noir,* qui sera censurée par le gouvernement pétainiste de Vichy.

1941 : l'Allemagne rompt le traité de non-agression signé avec l'U.R.S.S. : toute l'Europe est en guerre.

Breton, Péret, Ernst, Masson, Matta, Man Ray, Tanguy, etc., s'exilent aux États-Unis. Ils bénéficieront là de l'influence des mythes amérindiens et caraïbes. D'autres surréalistes, restés à Paris, s'engagent dans la Résistance.

Publication d'une revue surréaliste clandestine, *la Main à plume*. Parution de *Haute Solitude* (Fargue).

1942 : après avoir déclaré la guerre aux puissances de l'Axe (Allemagne, Italie, Japon) en décembre 1941, les États-Unis entrent dans le conflit. Dès la fin de l'année, certaines victoires annoncent le renversement du rapport de forces en faveur des Alliés.

Aux États-Unis, les surréalistes font paraître la revue anonyme *VVV,* dirigée par Breton, Ernst et le peintre Marcel Duchamp.

Publication en France de *l'Étranger* (roman de Camus) et du *Parti pris des choses* (Ponge).

1943-1944 : la supériorité militaire des Alliés se confirme. Le 6 juin 1944, ceux-ci débarquent en Normandie. La libération des territoires français commence.

Breton et le peintre Masson rédigent *Martinique, charmeuse de serpents,* qui sera publiée en 1948. Décès de Daumal.

Parution de *l'Être et le Néant,* essai philosophique de Sartre (1943).

Max Jacob meurt au camp de Drancy.

1945 : le 8 mai, l'armistice signé avec l'Allemagne met fin à la guerre en Europe. La paix ne sera signée au Japon qu'en août, après les bombardements nucléaires d'Hiroshima et de Nagasaki.

Desnos meurt en déportation.

La publication d'œuvres surréalistes reprend avec plus de vitalité : *Arcane 17* (Breton), *le Déshonneur des poètes* (pamphlet de Péret), *Nuits sans nuit* (Leiris), *le Désir attrapé par la queue* (Picasso), *Au pays des Tarahumaras* (Artaud).

1946-1969 : de la constitution
d'un nouveau groupe à sa dissolution

L'après-guerre est une époque d'extraordinaire renouveau intellectuel et artistique. Des courants de pensée naissent, notamment l'existentialisme (animé par Sartre). Le groupe surréaliste se reconstitue.

1946 : avènement difficile de la IVe République et début des guerres d'indépendance avec le conflit indochinois.
Breton revient en France ; Prévert publie *Paroles*.
Parution de *Vents* (Saint-John Perse).

1947 : début de la guerre froide.
Schuster et Bédouin rejoignent le groupe surréaliste qui s'est reconstitué autour de Breton et de Péret et qui prend parti pour la cause indochinoise. Breton publie une *Ode à Charles Fourier*, Péret, *Feu central*, et Césaire, *Cahier de retour au pays natal*. Exposition internationale du surréalisme, à Paris.
Parution d'*Exercices de style* (récit de Queneau), des *Bonnes* (pièce de Jean Genet) et de *l'Écume des jours* (roman de Boris Vian).

1948 : Artaud meurt à 52 ans, l'année où paraît sa dernière œuvre, *Pour en finir avec le jugement de Dieu*. Gérard Legrand rejoint les surréalistes, qui lancent la revue *Néon*. Césaire publie *Soleil cou coupé* et Char, *Fureur et Mystère*.
Première de la pièce de Sartre *les Mains sales*.

1949 : l'Allemagne est partagée en deux républiques, la R.F.A. et la R.D.A. La Chine, dirigée par Mao Zedong, devient une démocratie populaire. La guerre froide s'aggrave. En France, le premier journal télévisé est présenté.
Duprey (19 ans) adhère au surréalisme et écrit *Derrière son double*.

1952 : José Pierre rejoint les surréalistes. Breton publie *la Clé des champs* et des *Entretiens,* Péret, *Air mexicain*. Publication posthume de *Poésie noire et poésie blanche* de René Daumal.

Parution de *Nouvelles de l'étranger* (H. Michaux), *Race et histoire* (essai de C. Lévi-Strauss), *la Rage de l'expression* (F. Ponge). Mort d'Eluard à 57 ans.

1953 : mort de Staline.
Joyce Mansour (25 ans) se joint aux surréalistes et publie *Cris.*
Paraissent aussi *En attendant Godot* (pièce de S. Beckett) et *les Gommes* de A. Robbe-Grillet, considéré comme l'écrivain le plus représentatif du « nouveau roman ».

1954 : Mendès France, président du Conseil, met fin à la guerre d'Indochine, mais le conflit algérien éclate (il durera jusqu'en 1962).
Lancement d'une nouvelle revue proche du mouvement surréaliste, *Phases,* dirigée par E. Jaguer.

1956 : en U.R.S.S., lors du XXe Congrès du parti, Khrouchtchev dénonce les crimes de Staline, tout en réprimant les tentatives de réformes démocratiques en Hongrie où il envoie les troupes soviétiques. Ces événements provoquent une grave crise dans les milieux intellectuels de gauche européens.
Breton dirige la revue *le Surréalisme, même ;* Péret écrit *Anthologie de l'amour sublime.*

1957 à **1959** : signature du traité de Rome qui constitue la base de l'Europe communautaire (mars 1957). À l'occasion d'une crise particulièrement aiguë dans la guerre d'Algérie, le général de Gaulle reçoit les pleins pouvoirs, met fin à la IVe République et fait adopter, au suffrage universel, la nouvelle Constitution de la Ve République (1958). Face à ce ''coup d'État'', les surréalistes prônent la résistance intellectuelle.
Mort de Péret (60 ans) et de Duprey, qui se suicide, à 29 ans (1959).
Parution, en 1958, de la revue surréaliste *Bief,* dirigée par G. Legrand et J. Mansour, qui publie par ailleurs *les Gisants satisfaits.* En 1959 paraît la dernière œuvre de Péret, *Anthologie des mythes, légendes et contes d'Amérique.* Exposition internationale

du surréalisme à Paris, intitulée « Éros » (1959). Parution d'*Amers* (Saint-John Perse) et de *la Modification* (roman de Butor) en 1957 ; publication, l'année suivante, de *Moderato cantabile* (M. Duras) et d'*Anthropologie structurale* (Lévi-Strauss).

1960-1961 : les surréalistes revendiquent, dans une déclaration, le droit à l'insoumission pour les soldats envoyés en Algérie (1960). Tentative de putsch de généraux rebelles en faveur de l'Algérie française (avril 1961).

Mort de Supervielle (1960) puis de Cendrars (1961). En 1960, Césaire publie *Ferrements* et Mansour, *la Pointe*. L'année suivante, Breton dirige la nouvelle revue *la Brèche.*

1965 à 1967 : de Gaulle est réélu à la présidence de la République (première élection d'un chef d'État au suffrage universel depuis 1848).

En 1965, publication posthume de *la Fin et la Manière* (Duprey) et parution de *Carré blanc* (Mansour). Exposition internationale du surréalisme, à Paris, intitulée « l'Écart absolu ».

Illustration de Roberto Matta (né en 1911)
pour la couverture de *la Fin et la Manière,*
le dernier recueil écrit par J.-P. Duprey.

Publication des romans de Georges Perec, *les Choses,* et de J.-M.G. Le Clézio, *la Fièvre.*

En 1966, Breton meurt à l'âge de 70 ans. Leiris écrit *Mots sans mémoire.*

Genet publie *les Paravents,* pièce qui traite de la guerre d'Algérie, achevée quatre ans plus tôt. Une nouvelle revue surréaliste paraît en 1967, dirigée par Schuster, *l'Archibras.* La même année, Malraux, devenu ministre des Affaires culturelles, publie un essai, *Antimémoires.*

1968-1969 : le « printemps » de Prague (1968) est brutalement réprimé par les armées soviétiques. La révolte de mai 1968 ébranle profondément la société française ; le général de Gaulle démissionne en 1969.

Cette même année, le groupe surréaliste se dissout. On découvre l'œuvre à laquelle le peintre Marcel Duchamp avait travaillé de 1946 à 1966, intitulée *Étant donnés : 1° la chute d'eau, 2° le gaz d'éclairage.* De nouveaux peintres surréalistes sont révélés et des textes surréalistes continuent d'être publiés, notamment, *la Marche du lierre* (Legrand).

Collage de René Magritte (1898-1967)
paru dans le n° 12 de *la Révolution surréaliste*.

Le surréalisme

Textes édités
de 1921 à 1982

André Breton
(1896-1966)

André Breton,
photographie de Man Ray.

D'origine sociale modeste (son père était gendarme), André Breton est né à Tinchebray, dans l'Orne. À l'occasion de ses études de médecine, pendant la Première Guerre mondiale, il rencontre Aragon, puis Soupault. Il fonde avec eux la revue *Littérature* en 1919 et, en 1924, le mouvement surréaliste, dont il devient le principal animateur et le théoricien. Ses *Manifestes* exercent une influence de premier ordre sur l'art et la sensibilité poétique de son époque. Il publie aussi des poèmes et des récits. En 1927, il adhère au parti communiste, puis s'en détache pour rompre définitivement en 1935. Mobilisé en 1939 comme médecin, traqué après l'armistice de 1940 par la police de Vichy, il s'embarque pour les Antilles, puis gagne New York où il est speaker des émissions radiophoniques en langue française. Marié à Simone Kahn de 1921 à 1929, il épouse ensuite en 1934 Jacqueline Lamba (une fille, Aube, naît de cette union en 1936). En 1943, il rencontre à New York Élisa, sa dernière femme en qui s'incarne l'amour dont il s'était fait la plus haute idée. À son retour à Paris, en 1946, il reprend la direction du groupe surréaliste et reste attentif à l'esprit révolutionnaire jusqu'à la fin de sa vie.

Œuvres essentielles : *Clair de terre,* 1923 ; *le Manifeste du surréalisme* (essai), 1924 ; *Nadja* (récit), 1928 ; *le Surréalisme et la peinture* (essai), 1928 ; *l'Union libre* (1931) ; *l'Amour fou* (essai), 1937 ; *Arcane 17* (essai), 1947.

L'AIGRETTE

Si seulement il faisait du soleil cette nuit
Si dans le fond de l'Opéra deux seins miroitants et clairs
Composaient pour le mot amour la plus merveilleuse
    lettrine[1] vivante
Si le pavé de bois s'entrouvrait sur la cime des montagnes
Si l'hermine[2] regardait d'un air suppliant
Le prêtre à bandeaux rouges
Qui revient du bagne en comptant les voitures fermées
Si l'écho luxueux des rivières que je tourmente
Ne jetait que mon corps aux herbes de Paris
Que ne grêle-t-il à l'intérieur des magasins de bijouterie
Au moins le printemps ne me ferait plus peur
Si seulement j'étais une racine de l'arbre du ciel
Enfin le bien dans la canne à sucre de l'air
Si l'on faisait la courte échelle aux femmes
Que vois-tu belle silencieuse
Sous l'arc de triomphe du Carrousel[3]
Si le plaisir dirigeait sous l'aspect d'une passante éternelle
Les Chambres n'étant plus sillonnées que par l'œillade
    violette des promenoirs
Que ne donnerais-je pour qu'un bras de la Seine se glissât
    sous le Matin
Qui est de toute façon perdu
Je ne suis pas résigné non plus aux salles caressantes
Où sonne le téléphone des amendes du soir

---

1. *Lettrine* : lettre ornée, placée au début d'un chapitre ou d'un paragraphe.
2. *Hermine* : mammifère carnassier dont la fourrure, fauve en été, devient blanche en hiver.
3. *Carrousel* : arc de triomphe situé devant le Louvre, à Paris.

En partant j'ai mis le feu à une mèche de cheveux
    qui est celle d'une bombe
Et la mèche de cheveux creuse un tunnel sous Paris
Si seulement mon train entrait dans ce tunnel

Clair de terre, 1923.

Ma femme à la chevelure de feu de bois
Aux pensées d'éclairs de chaleur
À la taille de sablier
Ma femme à la taille de loutre[1] entre les dents du tigre
Ma femme à la bouche de cocarde et de bouquet d'étoiles
    de dernière grandeur
Aux dents d'empreintes de souris blanche sur la terre blanche
À la langue d'ambre[2] et de verre frottés
Ma femme à la langue d'hostie poignardée
À la langue de poupée qui ouvre et ferme les yeux
À la langue de pierre incroyable
Ma femme aux cils de bâtons d'écriture d'enfant
Aux sourcils de bord de nid d'hirondelle
Ma femme aux tempes d'ardoise de toit de serre
Et de buée aux vitres
Ma femme aux épaules de champagne
Et de fontaine à têtes de dauphins sous la glace
Ma femme aux poignets d'allumettes
Ma femme aux doigts de hasard et d'as de cœur
Aux doigts de foin coupé
Ma femme aux aisselles de martre[3] et de fênes[4]

---

1. *Loutre :* mammifère carnassier aquatique à la fourrure recherchée.
2. *Ambre :* résine fossile qui attire les corps légers par frottements.
3. *Martre :* mammifère carnassier à la fourrure recherchée.
4. *Fênes :* fruits comestibles du hêtre (orthographe courante : faîne).

De nuit de la Saint-Jean
De troène et de nid de scalares[1]
Aux bras d'écume de mer et d'écluse
Et de mélange du blé et du moulin
Ma femme aux jambes de fusée
Aux mouvements d'horlogerie et de désespoir
Ma femme aux mollets de moelle de sureau
Ma femme aux pieds d'initiales
Aux pieds de trousseaux de clés aux pieds de calfats[2]
    qui boivent
Ma femme au cou d'orge imperlé[3]
Ma femme à la gorge de Val d'or
De rendez-vous dans le lit même du torrent
Aux seins de nuit
Ma femme aux seins de taupinière marine
Ma femme aux seins de creuset du rubis
Aux seins de spectre de la rose sous la rosée
Ma femme au ventre de dépliement d'éventail des jours
Au ventre de griffe géante
Ma femme au dos d'oiseau qui fuit vertical
Au dos de vif-argent[4]
Au dos de lumière
À la nuque de pierre roulée et de craie mouillée
Et de chute d'un verre dans lequel on vient de boire
Ma femme aux hanches de nacelle
Aux hanches de lustre et de pennes[5] de flèche
Et de tiges de plumes de paon blanc

---

1. *Scalares* : coquillages carnivores de la mer des Antilles (le mot est en réalité « scalaire »).
2. *Calfats* : ouvriers chargés de rendre étanche la coque des navires.
3. *Imperlé* : qui a gardé son enveloppe.
4. *Vif-argent* : ancien nom du mercure.
5. *Pennes* : plumes.

De balance insensible
Ma femme aux fesses de grès et d'amiante
Ma femme aux fesses de dos de cygne
Ma femme aux fesses de printemps
Au sexe de glaïeul
Ma femme au sexe de placer[1] et d'ornithorynque[2]
Ma femme au sexe d'algue et de bonbons anciens
Ma femme au sexe de miroir
Ma femme aux yeux pleins de larmes
Aux yeux de panoplie violette et d'aiguille aimantée
Ma femme aux yeux de savane
Ma femme aux yeux d'eau pour boire en prison
Ma femme aux yeux de bois toujours sous la hache
Aux yeux de niveau d'eau de niveau d'air de terre et de feu

L'Union libre, 1931.

UN HOMME ET UNE FEMME ABSOLUMENT BLANCS

Tout au fond de l'ombrelle je vois les prostituées merveilleuses
Leur robe un peu passée du côté du réverbère couleur
      des bois
Elles promènent avec elles un grand morceau de papier mural
Comme on ne peut en contempler sans serrement de cœur
      aux anciens étages d'une maison en démolition

---

1. *Placer* : gisement d'or ou de pierres précieuses (le « r » final se prononce, comme dans Jupiter).
2. *Ornithorynque* : mammifère ovipare d'Australie, aux pattes palmées et à la queue plate, dont le bec ressemble à celui d'un canard. Il creuse des galeries près de l'eau.

Ou encore une coquille de marbre blanc tombée
    d'une cheminée
Ou encore un filet de ces chaînes qui derrière elles se brouillent
    dans les miroirs
Le grand instinct de la combustion s'empare des rues
    où elles se tiennent
Comme des fleurs grillées
Les yeux au loin soulevant un vent de pierre
Tandis qu'elles s'abîment[1] immobiles au centre du tourbillon
Rien n'égale pour moi le sens de leur pensée inappliquée
La fraîcheur du ruisseau dans lequel leurs bottines trempent
    l'ombre de leur bec
La réalité de ces poignées de foin coupé dans lesquelles
    elles disparaissent
Je vois leurs seins qui mettent une pointe de soleil
    dans la nuit profonde
Et dont le temps de s'abaisser et de s'élever est la seule
    mesure exacte de la vie
Je vois leurs seins qui sont des étoiles sur des vagues
Leurs seins dans lesquels pleure à jamais l'invisible lait bleu

Le Revolver à cheveux blancs, 1932.

SUR LA ROUTE DE SAN ROMANO

La poésie se fait dans un lit comme l'amour
Ses draps défaits sont l'aurore des choses
La poésie se fait dans les bois

---

1. *S'abîment* : s'enfoncent (sens littéraire) ; se détériorent (sens usuel).

Elle a l'espace qu'il lui faut
Pas celui-ci mais l'autre que conditionnent
    L'œil du milan[1]
      La rosée sur une prèle[2]
      Le souvenir d'une bouteille de Traminer[3] embuée
        sur un plateau d'argent
      Une haute verge de tourmaline[4] sur la mer
      Et la route de l'aventure mentale
      Qui monte à pic
      Une halte elle s'embroussaille aussitôt

Cela ne se crie pas sur les toits
Il est inconvenant de laisser la porte ouverte
Ou d'appeler des témoins

          Les bancs de poissons les haies de mésanges
          Les rails à l'entrée d'une grande gare
          Les reflets des deux rives
          Les sillons dans le pain
          Les bulles du ruisseau
          Les jours du calendrier
          Le millepertuis[5]

L'acte d'amour et l'acte de poésie
Sont incompatibles
Avec la lecture du journal à haute voix

---

1. *Milan* : rapace diurne d'assez grande taille.
2. *Prèle* : plante des lieux humides.
3. *Traminer* : variété de cépage blanc d'Alsace.
4. *Tourmaline* : pierre fine qui s'électrise par la chaleur ou le frottement.
5. *Millepertuis* : plante réputée magique à fleurs jaunes ou blanches dont les feuilles semblent criblées de mille trous.

Le sens du rayon de soleil
La lueur bleue qui relie les coups de hache
 du bûcheron
Le fil du cerf-volant en forme de cœur
 ou de nasse
Le battement en mesure de la queue des castors
La diligence de l'éclair
Le jet de dragées du haut des vieilles marches
L'avalanche

La chambre aux prestiges
Non messieurs ce n'est pas la huitième Chambre
Ni les vapeurs de la chambrée un dimanche soir

Les figures de danse exécutées en transparence
 au-dessus des mares
La délimitation contre un mur d'un corps de femme
 au lancer de poignards
Les volutes claires de la fumée
Les boucles de tes cheveux
La courbe de l'éponge des Philippines
Les lacés du serpent corail
L'entrée du lierre dans les ruines
Elle a tout le temps devant elle

L'étreinte poétique comme l'étreinte de chair
Tant qu'elle dure
Défend toute échappée sur la misère du monde

Oubliés, 1948.

André Breton

L'AIGRETTE

1. Recherchez dans le dictionnaire les différents sens du mot « aigrette » et commentez le titre de ce poème.

2. Après avoir étudié la syntaxe de ce texte, montrez en quoi l'accumulation des propositions fait ressortir les images.

3. De quelle manière l'évocation de Paris est-elle transfigurée dans ce poème ? Quel rôle joue cette évocation dans le rêve révélé ici ?

4. Par une analyse méthodique des images, mettez en évidence le mouvement général du poème (plan, progression, etc.).

UN HOMME ET UNE FEMME ABSOLUMENT BLANCS

1. Comment le poème est-il articulé ?

2. Dans le premier *Manifeste du surréalisme,* Breton écrivait : « C'est du rapprochement, en quelque sorte fortuit, de deux termes qu'a jailli une lumière particulière, ''lumière de l'image'', à laquelle nous nous montrons infiniment sensibles. »
En vous aidant de ce texte, montrez de quelle façon les images réagissent les unes aux autres en s'éclairant mutuellement.

3. Comment l'érotisme de ce poème débouche-t-il sur le merveilleux ?

SUR LA ROUTE DE SAN ROMANO

1. Quelle est la composition de ce texte ?

2. Distinguez la partie lyrique de la partie didactique du poème. Comment se combinent-elles ?

3. Quelle conception de la poésie l'auteur induit-il ici ? Tentez d'en donner une définition précise.

ENSEMBLE DES TEXTES

1. Étude précise des images : leur force visuelle, les différents registres (amoureux, onirique, etc.) employés, la manière dont elles sont articulées (juxtapositions, enchaînements, associations, etc., voir p. 246).

2. Études thématiques : la femme, la métamorphose, la transparence, mais également le jeu de ces thèmes entre eux.

3. Analysez le choix des titres des poèmes de Breton. Vous pourrez vous demander, par exemple, pourquoi il a adopté *l'Union libre* pour l'un de ses recueils.

Paul Eluard
(1895-1952)

Eugène Paul Grindel, né à Saint-Denis, près de Paris, d'un père comptable, adoptera plus tard le pseudonyme d'Eluard, du nom de sa grand-mère maternelle. Il est atteint à seize ans de tuberculose et doit séjourner en Suisse pendant deux ans dans un sanatorium. Il y rencontre une jeune femme d'origine russe, Elena Dmitrovnia Diakonova, qu'il prénomme Gala et qu'il épouse en 1916. Elle sera son inspiratrice

Paul Eluard, dessin de Valentine Hugo (1889-1968).

jusqu'à leur séparation, en 1930, date à laquelle elle devient la compagne du peintre Salvador Dalí. À peine guéri, Eluard est mobilisé pour aller combattre sur le front (guerre de 1914-1918) ; gazé, il est hospitalisé. Il rencontre Breton, Péret, Soupault, le peintre Max Ernst en 1920 et participe aux activités du groupe de *Littérature*. Très proche de Breton, il collabore à l'animation du mouvement surréaliste. En 1927, il adhère au P.C.F. mais en est exclu avec d'autres surréalistes en 1933. Il fait la connaissance de Nusch (Maria Benz) en 1929 ; elle deviendra sa femme et sa muse. La guerre d'Espagne le ramène au communisme, sous l'influence d'Aragon, et il participe avec celui-ci à la Résistance durant l'occupation allemande. La mort de Nusch en 1946 le plonge dans un profond désespoir jusqu'à la rencontre de sa dernière compagne, Dominique Lemor.

Œuvres essentielles : *Capitale de la douleur*, 1926 ; *l'Amour, la poésie*, 1929 ; *la Vie immédiate*, 1932 ; *la Rose publique*, 1934 ; *les Yeux fertiles*, 1936.

L'AMOUREUSE

Elle est debout sur mes paupières
Et ses cheveux sont dans les miens,
Elle a la forme de mes mains,
Elle a la couleur de mes yeux,
Elle s'engloutit dans mon ombre
Comme une pierre sur le ciel.

Elle a toujours les yeux ouverts
Et ne me laisse pas dormir.
Ses rêves en pleine lumière
Font s'évaporer les soleils,
Me font rire, pleurer et rire,
Parler sans avoir rien à dire.

Mourir de ne pas mourir, 1924.

VII

La terre est bleue comme une orange
Jamais une erreur les mots ne mentent pas
Ils ne vous donnent plus à chanter
Au tour des baisers de s'entendre
Les fous et les amours
Elle sa bouche d'alliance

---

1. Le poème sans titre appartient à une série regroupant 29 textes,
intitulée « Premièrement ».

Tous les secrets tous les sourires
Et quels vêtements d'indulgence
À la croire toute nue.

Les guêpes fleurissent vert
L'aube se passe autour du cou
Un collier de fenêtres
Des ailes couvrent les feuilles
Tu as toutes les joies solaires
Tout le soleil sur la terre
Sur les chemins de ta beauté.

« Premièrement », *l'Amour, la poésie*, 1929.

Tu te lèves l'eau se déplie
Tu te couches l'eau s'établit

Tu es l'eau détournée de ses abîmes
Tu es la terre qui prend racine
Et sur laquelle tout s'établit

Tu fais des bulles de silence dans le désert des bruits
Tu chantes des hymnes nocturnes sur les cordes de
     l'arc-en-ciel
Tu es partout tu abolis toutes les routes

Tu sacrifies le temps
À l'éternelle jeunesse de la flamme exacte
Qui voile la nature en la reproduisant

Femme tu mets au monde un corps toujours pareil
Le tien

Tu es la ressemblance.

Facile, 1935.

LES MAÎTRES

Au fort des rires secoués
Dans un cuvier[1] de plomb
Quel bien-être d'avoir
Des ailes de chien
Qui tient un oiseau vivant dans sa gueule

Allez-vous faire l'obscurité
Pour conserver cette mine sombre
Ou bien allez-vous nous céder
Il y a de la graisse au plafond
De la salive sur les vitres
La lumière est horrible

Ô nuit perle perdue
Aveugle point de chute où le chagrin s'acharne.

La Barre d'appui, 1936.

JE CROYAIS LE REPOS POSSIBLE

Une ruine coquille vide
Pleure dans son tablier
Les enfants qui jouent autour d'elle
Font moins de bruit que des mouches

---

1. *Cuvier :* grand baquet, cuve.

La ruine s'en va à tâtons
Chercher ses vaches dans un pré
J'ai vu le jour je vois cela
Sans en avoir honte

Il est minuit comme une flèche
Dans un cœur à la portée
Des folâtres lueurs nocturnes
Qui contredisent le sommeil.

Les Yeux fertiles, 1936.

OÙ LA FEMME
EST SECRÈTE L'HOMME EST INUTILE

L'indifférence violemment exclue
Tout se jouait
Autour du ventre sans raison et des paroles sans suite
D'une femme faite pour elle-même
Et plus nue que réelle

Elle avait un charme de plus
Que celle dont elle était née
Qui promettait

Recueillait tant de merveilles
Tous les mystères
Dans la lumière écarquillée
Sous son énorme chevelure
Sous ses paupières basses

À voix sourde mêlée de rires
Elle et ses lèvres racontaient
La vie

D'autres lèvres semblables aux siennes
Cherchant leur bien entre elles
Comme des graines dans le vent

La vie aussi
D'hommes qui n'y tenaient guère
De femmes aux chagrins bizarres
Qui se fardent pour s'effacer

Et nul ne comprenait sur quel fond de délices et de certitudes
La mémoire future la mémoire inconnue
Jouerait mieux que l'espoir
À jamais joué dans le commun dans l'habituel.

Les Yeux fertiles, 1936.

Paul Eluard

L'AMOUREUSE

1. Relevez les images et montrez leur enchaînement (syntaxique, sémantique, logique, etc.).

2. Étudiez la versification de ce poème. Retrouve-t-on un rythme régulier, des rimes, des assonances, des allitérations, des anaphores (voir p. 246-247) ? Citez des exemples.

3. Comment le poème est-il construit ? Quel en est le principe d'organisation ?

4. Montrez comment, à l'aide d'expressions simples, l'auteur parvient à traduire son émotion.

L'AMOUR, LA POÉSIE : VII

1. L'image exprimée dans le premier vers vous paraît-elle purement gratuite ? Comment peut-on la justifier ?

2. Étudiez le rythme et le jeu des sonorités du poème. Quel rôle jouent-ils ?

3. De quelle manière Eluard parvient-il à communiquer son émerveillement devant la femme aimée ? Citez des exemples à l'appui de votre réponse.

LES MAÎTRES

1. En étudiant la versification, expliquez la structure originale de ce poème.

2. Montrez comment le rythme donne de la force aux images. Citez des exemples précis.

3. Quel est le mouvement du poème ? Analysez sa progression et tentez de définir l'intention d'Eluard dans ce texte.

4. Étudiez le champ lexical de l'alchimie. Quel symbolisme confère-t-il au poème ?

ENSEMBLE DES TEXTES

1. Faites un inventaire des images diverses se rapportant à la femme et analysez-les. Quelle(s) relation(s) celle-ci entretient-elle avec l'ensemble de l'univers ? Citez des exemples extraits des différents poèmes proposés.

2. Comment le rêve vient-il troubler la conception habituelle de la réalité ? Montrez qu'il fait accéder au merveilleux (voir p. 248).

3. Dans *l'Évidence poétique* (1936), Paul Eluard écrit : « Le poète est celui qui inspire, bien plus que celui qui est inspiré. » Comment comprenez-vous cette phrase après avoir lu ces quelques poèmes ?

Benjamin Péret
(1899-1959)

Benjamin Péret (détail),
photographie de Man Ray.

Né à Rezé, près de Nantes, Benjamin Péret s'engage à seize ans dans l'armée pour fuir sa famille. Il n'est démobilisé qu'en 1920, date à laquelle il intègre le groupe surréaliste dont il devient un des éléments les plus actifs. Il adhère en 1927 au parti communiste mais il rejoindra bientôt l'opposition trotskiste. À partir de 1929, il vit au Brésil (le pays de son épouse), y est emprisonné puis en est expulsé en 1931, à cause de ses activités jugées subversives. Il revient seul à Paris et retrouve sa place dans le groupe surréaliste. En 1936, il participe à la guerre d'Espagne aux côtés des républicains. De retour à Paris, il est mobilisé, mais son activité politique dans l'armée le fait incarcérer. Libéré à la faveur de l'armistice, il s'embarque pour le Mexique où il réside avec sa seconde femme, le peintre Remedios Varo. Il rentre à Paris en 1948 et joue au sein du mouvement surréaliste reconstitué le rôle d'animateur infatigable, en dépit de problèmes de santé et d'une situation pécuniaire difficile. En 1955, Péret se rend de nouveau au Brésil et séjourne chez les Indiens de l'Amazonie. Il meurt à l'âge de soixante ans. Sa tombe, au cimetière des Batignolles, porte ces mots : « Je ne mange pas de ce pain-là. »

Œuvres essentielles : *Dormir dormir dans les pierres*, 1927 ; *le Grand Jeu*, 1928 ; *Je ne mange pas de ce pain-là*, 1936 ; *le Déshonneur des poètes* (essai), 1945 ; *Feu central* (poèmes), 1947 ; *Air mexicain*, 1949.

PETIT HUBLOT DE MON CŒUR

Canada canada
mon petit canada
C'est la pomme la pomme qu'il nous faut
la pomme du Canada
la reine du Canada
reinette du Canada
C'est la reine qu'il nous faut
la reine dans son panier
dans son panier percé
Son Canada sous son bras
la reine s'en alla
et la reinette du Canada
son chapeau percé
son panier sous son bras
ses pieds dans ses sabots
elle chantait
Lorsque le pélican pélican lassé d'un long long voyage
     long voyage long voyage[1]
et partit du pied gauche

Le Passager du transatlantique, 1921.

---

1. Référence au poème d'Alfred de Musset (1810-1857) intitulé :
Nuit d'octobre.

HOMME DE QUART HOMME DE DEMI

À Jacques Rigaut[1]

Mystère de l'homme ou réciproquement

Pour expliquer que faut-il
Deux hommes et trois poissons
C'est un mystère

Pour diminuer que faut-il
Être sûr de son âge
C'est un mystère

Pour augmenter que faut-il
Marcher ou descendre ou monter
C'est un mystère

Terre

Le Passager du transatlantique, 1921.

PASSAGERS DE SECONDE CLASSE ET LEURS CHEVEUX

J'y cours
Où courez-vous
Nulle part
Moi aussi
Alors

Le Passager du transatlantique, 1921.

---

1. *Jacques Rigaut :* écrivain français (1899 - 1929) qui participa au mouvement Dada avant de devenir mondain par révolte. Il se suicida à 30 ans.

Soleil route usée pierres frémissantes
Une lance d'orage frappe le monde gelé
C'est le jour des liquides qui frisent
des liquides aux oreilles de soupçon
dont la présence se cache sous le mystère des triangles
Mais voici que le monde cesse d'être gelé
et que l'orage aux yeux de paon glisse sous lui
comme un serpent qui dort sa queue dans son oreille
parce que tout est noir
les rues molles comme des gants
les gares aux gestes de miroir
les canaux dont les berges tentent vainement de saluer
     les nuages
et le sable
le sable qui est gelé comme une pompe
et projette au loin ses tentacules de cristal
Tous ses tentacules n'arriveront jamais à transformer
     le ciel en mains
Car le ciel s'ouvre comme une huître
et les mains ne savent que se fermer sur les poutres des mers
qui salissent les regards bleus des squales[1]
voyageurs parfumés
voyageurs sans secousses
qui contournent éternellement les sifflements avertisseurs
     des saules
des grands saules de piment qui tombent sur la terre
     comme des plumes
Si quelque jour la terre cesse d'être un saule
les grands marécages de sang et de verre sentiront leur ventre
     se gonfler
et crier Orties Orties

---

1. *Squales :* nom générique de la famille des requins.

Jetez les orties dans le gosier du nègre
borgne comme seuls savent l'être les nègres
et le nègre deviendra ortie
et soutane son œil perdu
cependant qu'une longue barre de cuivre se dressera comme
    une flamme
si loin si haut que les orties ne seront plus ses enfants
mais les soubresauts fatals d'un grand corps d'écume
salué par les mille crochets des eaux bouillantes
que lance le pain blanc
ce pain si blanc qu'à côté de lui le noir est blanc
et que les roches amères dévorent lentement les chevilles
    des danseuses d'acajou
mais les orties ô mosaïque les orties demain auront
    des oreilles d'âne
et des pieds de neige
et elles seront si blanches que le pain le plus blanc s'oubliera
    dans leur dédales
Ses cris retentiront dans les mille tunnels d'agate du matin
et le paysage chantera Un Deux Trois Quatre Deux Trois
    Un Quatre
les corbeaux ont des lueurs d'église
et se noient tous les soirs dans les égouts de dieu

Mais taisez-vous tas de pain le paysage lève ses grands bras
    de plume
et les plumes s'envolent et couvrent la queue des collines
et voici que l'oiseau des collines se retrouve dans la cage
    de l'eau

Mais plumes arrêtez-vous car le paysage n'est presque plus
    qu'une courte paille
que tu tires
C'est donc toi fille aux seins de soleil qui seras le paysage
l'hypnotique paysage
le dramatique paysage

l'affreux paysage
le glacial paysage
l'absurde paysage blanc
qui s'en va comme un chien battu
se nicher dans les boîtes à lettres des grandes villes
sous les chapeaux des vents
sous les oranges des brumes
sous les lumières meurtries
sous les pas hésitants et sonores des fous
sous les rails brillants des femmes
qui suivent de loin les feux follets des grands hérons
     du jour et de la nuit
les grands hérons aux lèvres de sel éternels et cruels
éternels et blancs
cruels et blancs

Dormir dormir dans les pierres, 1927.

La Chute des anges rebelles de Bruegel l'Ancien (v. 1525-1569).
Musée royal des Beaux-Arts, Bruxelles.

AIR MEXICAIN[1]

Le feu vêtu de deuil jaillit par tous ses pores
La poussière de sperme et de sang voile sa face tatouée
    de lave
Son cri retentit dans la nuit comme l'annonce de la fin
    des temps
Le frisson qui se hâte sur sa peau d'épines court depuis
    que le maïs se lisse dans le vent
Son geste de cœur brandi à bout de bras s'achève
    en cinquante-deux ans dans un brasier d'allégresse
Lorsqu'il parle la pluie d'orage excite les réflexes
    des lueurs enfouies sous la cendre des anciens rugissements
    que les lions de feu lancent en s'ébrouant
Il écoute et n'entend couler que le torrent de sa sueur d'or
    avalée par le Nord noir
Il chante comme une forêt pétrifiée avec ses oiseaux sacrifiés
    en plein vol dont l'écho épuisé traîne le ramage
    qui va mourir
Il respire et dort comme une mine cachant sous des douleurs
    inouïes ses joyaux de catastrophe
Quand l'aile chatoyante de l'aube se perdait dans les gouffres
    du crépuscule habité de gestes mous
quand les larmes du sol éclataient en gerbes infernales
    d'années sans nuits
les cierges s'allumaient de toutes leurs griffes à futur sang
    fidèle
pour que plonge dans un sommeil vidé de rêves d'ancêtres
    exigeants

---

1. Ce poème est un chant qui s'étire sur tout un recueil. Seul le
début est donné ici.

le maître de la vie qui jette des injures aux gueules bavant
    la flamme qui l'anime
pour que l'homme trouve là-haut la route des grands miroirs
    d'eau bruissants de lances de lune
et là-bas des ciels de lit qui chantent un air de jeune fille
    revenant de la fontaine mouchetée de vols paresseux
    et flasques où deux yeux luisent comme la paroi suintante
    d'une caverne qui attend la vie
Nul n'aurait pu dire où commençait la mer puisque
    les fleuves rentraient dans l'œuf que Tlaloc[1] rosée
    qui ne s'était pas fait reconnaître ne cachait pas encore
    dans sa gueule de tigre
Cependant dans la nuit vagissante le regard du nouvel an
    vient de s'allumer à celui de l'aigle qui pique vers le sol
Nouvel an à facettes de cristal où le profane ne découvre
    qu'une trombe de poussière aspirant des échos calcinés
    par un dieu toujours vainqueur
et des paroles noyées dont le corps momifié flotte flotte et
    s'envole d'un coup d'aile dans un rais de lumière
    qui s'éteignant les rejettera sur la terre
    pour qu'elles donnent des fruits d'obsidienne[2]
Les hommes jaillissaient de l'ombre comprimée à l'ouest
    du rayon vert une graine à la main comme un fantôme
    aux yeux
Il est temps disaient-ils que la terre secoue sa chevelure vivante
    selon le rythme des airs du jour en pyjama
que nous descendions cajoler la grenouille retrouvée
    après tant de soleils d'oubli châtiés par les quatre éléments
que l'or et l'argent du ciel la parent d'un collier de plumes
    à étancher les soifs rebelles comme les paupières

---

1. *Tlaloc :* dieu du Mexique ancien, personnifiant la pluie bienfaisante.
2. *Obsidienne :* roche volcanique de couleur foncée et ayant l'aspect
du verre.

entr'ouvertes d'un ruisseau racontant les rêves
de sa source

que de la chrysalide du limon[1] s'échappe le papillon
qui contient et emporte notre cri automnal à reflets
de lendemains déguisés en monstres

que la poussière de la voie lactée n'ait plus à tomber
d'aussi haut puisque les mille doigts de notre mère
la recueillent au passage

que la griffe de mortification[2] répande son lait aigre de bête
dissimulée sous des pierres d'avalanche dont sa vie
de fantôme exalté fécondera la nôtre quatre à quatre

que la montagne à chevelure d'astre vengeur reconnaisse
l'enfant que nous édifierons au bord du lac où nous a
chassé la grande marée de son ennemi tantôt vainqueur
tantôt vaincu

que le jour soit comme le visage du voisin et réponde
à l'appel de son nom découvert par les savants
de la gomme[3]

que la pierre brille d'un éclat d'eau dont les lourdes
paupières se ferment à cause du regard insoutenable
d'un ciel que n'ose violer aucun oiseau

qu'elle fredonne l'air miraculeux des quatre points
cardinaux qui nous protégeront contre l'égarement
du chien poursuivant éternellement sa queue

qu'elle supplie les géants tapis sous la terre les eaux le feu
et nos gestes qui les créent comme un plat succulent

---

1. *Limon* : terre fertile.
2. *Mortification* : à l'origine, souffrance physique que l'on s'impose
pour des raisons religieuses.
3. *Savants de la gomme* : chez les Aztèques, la gomme désigne à la
fois le caoutchouc et le principe du mouvement ; les savants dont il
s'agit ici sont des astrologues.

qu'elle menace en leur nom les fourbes tyrans des déserts
et de l'ombre qui étrangle avec le délire de ses vols
noirs

D'où vient le cri qui ne chasse pas encore les bêtes des forêts
poudrées par des ondes magnétiques

Quel songe de père assassiné l'a fait ricocher d'île en rocher
oublié par une terre exilée dans la nuit qu'elle hypnotise

Air mexicain, 1949.

Benjamin Péret

LE PASSAGER DU TRANSATLANTIQUE (3 poèmes)

1. Analysez et commentez les titres de ces trois poèmes : « Petit hublot de mon cœur », « Homme de quart homme de demi », « Passagers de seconde classe et leurs cheveux ». Qu'ont-ils en commun ? Comment chacun annonce-t-il, à sa manière, le poème qui va suivre ? Quels effets produisent les jeux de mots ? Quelles images font-ils jaillir ?

2. Étudiez la diction de ces trois poèmes. Quel en est le rythme ? Quels sont les lieux de respiration indiqués par la présence de majuscules, malgré l'absence de ponctuation ? Relevez les assonances et les allitérations (voir p. 246-247) ainsi que d'autres jeux sur les sonorités.

3. Quels sont dans ces trois poèmes les éléments qui forment un lien avec le monde de l'enfance, ses comptines, jeux et formulettes ? Vous définirez les liens possibles entre l'écriture automatique et la littérature enfantine.

« SOLEIL ROUTE USÉE... »

1. Relevez les analogies entre les images en insistant sur les points d'articulation (sémantique, phonétique ou syntaxique) qui les autorisent.

2. Montrez que les liens syntaxiques (« comme », « qui », etc.) détournés de leur usage ordinaire font ressortir les images. Citez des passages précis du poème à l'appui de votre réponse.

3. Recherchez des exemples montrant que Péret donne toute liberté aux mots. D'après vous, pourquoi et comment une telle pratique situe-t-elle le langage dans le domaine du merveilleux (voir p. 248) ?

AIR MEXICAIN

1. Dans ce long poème, Péret évoque le mythe aztèque de la Création du monde. Selon ce peuple du Mexique, le temps s'épuisait tous les 52 ans. Pour que l'univers subsiste, il fallait

procéder à une cérémonie dont le but consistait à allumer le feu nouveau devant assurer la pérennité du monde.

Montrez comment l'auteur a su donner cette dimension mythique à son poème en jouant sur le rythme et le choix des images.

2. De quelle(s) manière(s) Péret parvient-il à donner l'impression de la naissance d'un monde onirique qui se déploie dans un sens ascendant ?

3. En vous fondant sur des images précises, montrez que ce texte — en dehors de son sens caché lié au mythe particulier qu'il évoque — touche la sensibilité poétique de chacun.

Louis Aragon
(1897-1982)

Enfant naturel, né à Paris, Louis Aragon est élevé par sa mère restée seule. Il fait des études de médecine, rencontre André Breton en 1917 et fonde avec celui-ci et Philippe Soupault la revue *Littérature* en 1919. Aragon participe activement au

Louis Aragon, autoportrait.

mouvement surréaliste aux côtés de Breton. Son amour pour la romancière d'origine russe Elsa Triolet l'amène en 1931 à s'engager totalement dans le communisme en rompant avec le surréalisme. Il se tourne alors vers le genre romanesque où il s'efforce d'appliquer les principes du « réalisme socialiste ». Pendant la guerre de 1939-1945, il entre dans la Résistance en compagnie d'Eluard et écrit des poèmes engagés. Il restera fidèle au communisme jusqu'à la fin de sa vie. Son dernier grand recueil poétique, *le Roman inachevé* (1956), marque un retour au lyrisme traditionnel sans pourtant renier les acquis novateurs du surréalisme.

Œuvres essentielles : *le Mouvement perpétuel,* 1926 ; *les Cloches de Bâle* (roman), 1933 ; *les Yeux d'Elsa,* 1942 ; *Aurélien* (roman), 1945 ; *le Roman inachevé,* 1956.

AIR DU TEMPS

Nuage
Un cheval blanc s'élève
et c'est l'auberge à l'aube où s'éveillera le premier venu
Vas-tu traîner toute ta vie au milieu du monde
À demi-mort
À demi-endormi
Est-ce que tu n'as pas assez des lieux communs
Les gens te regardent sans rire
Ils ont des yeux de verre
Tu passes Tu perds ton temps Tu passes
Tu comptes jusqu'à cent et tu triches pour tuer dix secondes encore
Tu étends le bras brusquement pour mourir
N'aie pas peur
Un jour ou l'autre
Il n'y aura plus qu'un jour et puis un jour
Et puis ça y est
Plus besoin de voir les hommes ni ces bêtes à bon Dieu
    qu'ils caressent de temps en temps
Plus besoin de parler tout seul la nuit pour ne pas entendre
    la plainte de la cheminée
Plus besoin de soulever mes paupières
Ni de lancer mon sang comme un disque
ni de respirer malgré moi
Pourtant je ne désire pas mourir
La cloche de mon cœur chante à voix basse un espoir très ancien
Cette musique Je sais bien Mais les paroles
Que disaient au juste les paroles
Imbécile

Le Mouvement perpétuel, 1925.

LA BEAUTÉ DU DIABLE

Jeunes gens le temps est devant vous comme un cheval
       échappé
Qui le saisit à la crinière entre ses genoux qui le dompte
N'entend désormais que le bruit des fers de la bête
       qu'il monte
Trop à ce combat nouveau pour songer au bout de l'équipée

Jeunes gens le temps est devant vous comme un appétit
       précoce
Et l'on ne sait plus que choisir tant on se promet du festin
Et la nappe est si parfaitement blanche qu'on a peur du vin
Et de l'atroce champ de bataille après le repas des noces

Celui qui croit pouvoir mesurer le temps avec les saisons
Est un vieillard déjà qui ne sait regarder qu'en arrière
On se perd à ces changements comme la roue et la poussière
Le feuillage à chaque printemps revient nous cacher l'horizon

Que le temps devant vous jeunes gens est immense
       et qu'il est court
À quoi sert-il vraiment de dire une telle banalité
Ah prenez-le donc comme il vient comme un refrain
       jamais chanté
Comme un ciel que rien ne gêne une femme qui dit
       Pour toujours

Enfance Un beau soir vous avez poussé la porte du jardin
Du seuil voici que vous suivez le paraphe[1] noir des arondes[2]

---

1. *Paraphe :* signature abrégée de forme schématique.
2. *Arondes :* ancien nom des hirondelles.

Vous sentez dans vos bras tout à coup la dimension
    du monde
Et votre propre force et que tout est possible soudain

Écarquillez vos yeux ne laissez pas perdre cette minute
Je l'entends votre rire au paysage découvert J'entends
Dans votre rire et votre pas l'écho des pas d'antan
Une autre fois la clameur des jeux qui devient le cri des luttes

Une autre fois la possession qui commence Une autre fois
Ce plaisir de l'épaule à l'image du pont passant les fleuves
Cette jubilation de l'effort à raison de l'épreuve
La nuit qui se fait plus profonde à la nouveauté de la voix

Tu ne te reconnais guère au petit matin dans les miroirs
Avant que la vie ait repris descends dans la fraîcheur des rues
Il n'y a plus qu'un peu de brume où tremble un passé disparu
Un vent léger a mis en fuite le dernier journal du soir

C'est l'heure où chaque chose de lumière à toi seul est donnée
C'est l'heure où ce qu'on dit semble aussitôt occuper
    tout l'espace
Elle a pour toi les yeux sans fard de toutes les femmes
    qui passent
Regarde bien vers toi venir amoureusement la journée

      Petite clarté saute saute
      Dans les yeux des jeunes gens
      La marée est toujours haute
      Toujours le péril urgent
      Toujours le bonheur en cause
      Toujours c'est la tombola
      On n'y gagne que des roses
      On y perd son matelas
      Toujours le ciel en eau trouble

Passez muscades[1] passez
Toujours toujours quitte ou double
Et jamais jamais assez

Ils ne sauront que bien plus tard le prix passager
        de cette heure
Je me souviens de ce parfum pourtant sans cesse évanoui
Je peux avec les yeux ouverts retrouver mon cœur ébloui
Je me souviens de ma jeunesse au seul spectacle de la leur

        Je me souviens

Le Roman inachevé, 1956.

Voilà donc où tu perds malheureux la lumière qui s'achève
Cette dernière braise de ton cœur au foyer dispersé
Voilà donc où tu courais Le couronnement de ta pensée
Quand tu n'as plus le temps de rien voilà pourtant ce dont
        tu rêves

Tu vois la forme et la limite et déjà touches l'horizon
Pourras-tu finir ce poème avant que ne tombe la foudre
Et cependant tu te prends à jouer avec un dé à coudre
Le poids de ce que tu n'as pas su dire écrase ta raison

---

1. *Muscades* : petites boules de liège que les prestidigitateurs
escamotent ; « passez muscades » signifie : « faites disparaître quelque
chose ».

La révolte des océans la convulsion des naufrages
Dans les déchirements sans nom de la créature et des cieux
Et la souffrance qui bat sa voile noire sur les hauts lieux
Où les phares ont tricoté la première nuit des veuvages

L'homme subitement à la mer À l'horreur démesurée
Ce peu de chair de muscles d'os cet être pensant cette force
De qui la lassitude à la fin va consacrer le divorce
La solitude gigantesque du bouchon dans les marées

Le typhon soudain balayant un bonheur d'îles sous sa douche
Le sommeil des cités comme un navire à la merci des eaux
La lame de fond qui porte au ciel l'épouvante des oiseaux
Pour retomber sur les polders[1] comme une main coiffant
    les mouches

Tout cela qui peut-être rien qu'en raison des proportions
Semble pis que le simple soupir et la bave au coin des lèvres
Où bien sagement dans un lit s'éteint la vie avec la fièvre
Et l'on ressent le grand calme apporté par l'inhumation

Tout cela pourtant qui nous laisse ivresse amère et grandiose
Comme à l'enfant le rouge du rideau qui tombe au Châtelet[2]
Pour que l'écume à nos pieds jette au ruissellement des galets
En pure dérision ce baigneur de celluloïd[3] rose

Le Roman inachevé, 1956.

---

1. *Polders* : régions conquises par l'homme sur la mer. (Mot d'origine néerlandaise.)
2. *Châtelet* : théâtre de Paris, sur la rive droite, consacré, à l'époque, aux représentations d'opérettes.
3. *Celluloïd* : matière plastique. (Mot d'origine américaine.)

Tu m'as trouvé comme un caillou que l'on ramasse
    sur la plage
Comme un bizarre objet perdu dont nul ne peut dire l'usage
Comme l'algue sur un sextant[1] qu'échoue à terre la marée
Comme à la fenêtre un brouillard qui ne demande qu'à entrer
Comme le désordre d'une chambre d'hôtel qu'on n'a
    pas faite
Un lendemain de carrefour dans les papiers gras de la fête
Un voyageur sans billet assis sur le marchepied du train
Un ruissseau dans leur champ détourné par les mauvais
    riverains
Une bête des bois que les autos ont prises dans leurs phares
Comme un veilleur de nuit qui s'en revient dans
    le matin blafard
Comme un rêve mal dissipé dans l'ombre noire des prisons
Comme l'affolement d'un oiseau fourvoyé dans la maison
Comme au doigt de l'amant trahi la marque rouge
    d'une bague
Une voiture abandonnée au beau milieu d'un terrain vague
Comme une lettre déchirée éparpillée au vent des rues
Comme le hâle sur les mains qu'a laissé l'été disparu
Comme le regard égaré de l'être qui voit qu'il s'égare
Comme les bagages laissés en souffrance dans une gare
Comme une porte quelque part ou peut-être un volet qui bat
Le sillon pareil du cœur et de l'arbre où la foudre tomba
Une pierre au bord de la route en souvenir de quelque chose
Un mal qui n'en finit pas plus que la couleur des ecchymoses
Comme au loin sur la mer la sirène inutile d'un bateau
Comme longtemps après dans la chair la mémoire du couteau
Comme le cheval échappé qui boit l'eau sale d'une mare

---

1. *Sextant* : instrument de navigation pour faire le point (définir sa position en mer) d'après les astres.

Comme un oreiller dévasté par une nuit de cauchemars
Comme une injure au soleil avec de la paille dans les yeux
Comme la colère à revoir que rien n'a changé sous les cieux
Tu m'as trouvé dans la nuit comme une parole irréparable
Comme un vagabond pour dormir qui s'était couché
    dans l'étable
Comme un chien qui porte un collier aux initiales d'autrui
Un homme des jours d'autrefois empli de fureur et de bruit

Le Roman inachevé, 1956.

Aragon

AIR DU TEMPS

1. La jeunesse et le temps : comment ce poème évoque-t-il l'expérience de la durée chez un jeune homme ?

2. Analysez le détournement des formules conventionnelles et des lieux communs. Comment Aragon en renouvelle-t-il le sens ?

3. Mettez en évidence le caractère musical de ce poème, malgré l'aspect prosaïque du style.

LA BEAUTÉ DU DIABLE

1. Par quelles images et sous quelles formes s'exprime l'invitation à saisir le bonheur dans le présent ?

2. Comment se fait sentir peu à peu la nostalgie de la jeunesse ?

3. Faites ressortir le contraste entre l'impatience de la jeunesse et la résignation assagie du poète âgé en analysant les changements de rythme.

« VOILÀ DONC... »

1. Relevez et commentez les expressions de l'amertume et de la dérision devant la fragilité de la vie.

2. Distinguez et comparez les images qui donnent l'impression d'un paysage à la fois grandiose et pitoyable de l'existence humaine.

3. Ce poème ne prend-il pas le caractère d'une méditation philosophique sur la destinée humaine ? Argumentez votre point de vue en vous référant précisément au texte.

« TU M'AS TROUVÉ... »

1. Ce poème reprend le procédé de l'inventaire souvent utilisé par les surréalistes, avec une succession d'images. Quelles sont

cependant les caractéristiques communes et le sens global de ces images ? Prolongez cet inventaire avec de nouvelles images, dans le même esprit.

2. Relevez celles qui vous paraissent les plus insolites ou les plus expressives, en justifiant votre choix. Montrez comment Aragon, malgré la répétition de la tournure comparative, apporte une variété dans ses formulations.

ENSEMBLE DES TEXTES

1. Prose et poésie : comment les tournures de style familier s'intègrent-elles dans un langage poétique ?

2. Surréalisme et tradition : *le Roman inachevé* est un recueil tardif, nettement postérieur au départ d'Aragon du mouvement surréaliste. Faites la part dans ces poèmes du retour à la poésie française classique et de la persistance de l'esthétique surréaliste. Vous pourrez notamment repérer les thèmes et les procédés de versification appartenant à la poésie lyrique traditionnelle.

Antonin Artaud
(1896-1948)

Antonin Artaud,
photographie de H. Martinie.

Né à Marseille, Antonin Artaud souffre dès l'enfance de troubles nerveux consécutifs à une maladie. Réformé en 1916, il effectue des séjours dans des maisons de santé, puis se rend à Paris en 1920. Attiré par l'art dramatique, il obtient des rôles au théâtre et au cinéma. Il fait alors la connaissance de Génica Athanasiou, qui partagera sa vie jusqu'en 1927. Il adhère au groupe surréaliste (1924), dont il devient un membre très actif en assurant la permanence du Bureau de recherches surréalistes. Mais, bientôt, des divergences se font sentir entre sa conception d'une révolte intérieure, purement spirituelle, et l'exigence de Breton et de ses amis de se soumettre aux conditions d'une révolution sociale. Exclu du mouvement surréaliste en 1926, il publie des recueils de poèmes, puis se consacre au théâtre comme comédien et metteur en scène, mais il rencontre l'incompréhension et l'échec. Découragé, il s'embarque en 1936 pour le Mexique et le pays des Indiens Tarahumaras. Il rentre à Paris, puis repart pour l'Irlande, d'où il sera expulsé. Interné dès son arrivée au Havre, un long parcours d'asile en hôpital l'amène à Rodez chez le docteur Ferdière. Il est libéré un an avant sa mort, en 1948.

Œuvres essentielles : *l'Ombilic des limbes,* 1925 ; *le Pèse-Nerfs,* 1925 ; *le Théâtre et son double* (essai), 1932 ; *Au pays des Tarahumaras* (essai), 1945.

VITRES DE SON

Vitres de son où virent les astres,
verres où cuisent les cerveaux,
le ciel fourmillant d'impudeurs
dévore la nudité des astres.

Un lait bizarre et véhément
fourmille au fond du firmament ;
un escargot monte et dérange
la placidité des nuages.

Délices et rages, le ciel
lance sur nous comme un nuage
un tourbillon d'ailes sauvages
torrentielles d'obscénités.

L'Ombilic des limbes, 1925.

LA NUIT OPÈRE

Dans les outres des draps gonflés
où la nuit entière respire,
le poète sent ses cheveux
grandir et se multiplier.

Sur tous les comptoirs de la terre
montent des verres déracinés,
le poète sent sa pensée
et son sexe l'abandonner.

Car ici la vie est en cause
et le ventre de la pensée ;
les bouteilles heurtent les crânes
de l'aérienne assemblée.

Le Verbe[1] pousse du sommeil
comme une fleur ou comme un verre
plein de formes et de fumées.

Le verre et le ventre se heurtent,
La vie est claire
dans les crânes vitrifiés.

L'aréopage[2] ardent des poètes
s'assemble autour du tapis vert
le vide tourne.

La vie traverse la pensée
du poète aux cheveux épais.

Dans la rue rien qu'une fenêtre,
les cartes battent ;
dans la fenêtre la femme au sexe
met son ventre en délibéré[3].

L'Ombilic des limbes, 1925.

---

1. *Verbe :* avec une majuscule, désigne à l'origine la parole divine adressée aux hommes.
2. *Aréopage :* assemblée des sages dans la Grèce antique.
3. *En délibéré :* décision judiciaire différée.

INVOCATION À LA MOMIE

Ces narines d'os et de peau
par où commencent les ténèbres
de l'absolu, et la peinture de ces lèvres
que tu fermes comme un rideau

Et cet or que te glisse en rêve
la vie qui te dépouille d'os,
et des fleurs de ce regard faux
par où tu rejoins la lumière

Momie, et ces mains de fuseaux
pour te retourner les entrailles,
ces mains où l'ombre épouvantable
prend la figure d'un oiseau

Tout cela dont s'orne la mort
comme d'un rite aléatoire,
ce papotage d'ombres, et l'or
où nagent tes entrailles noires

C'est par là que je te rejoins,
par la route calcinée des veines,
et ton or est comme ma peine
le pire et le plus sûr témoin

L'Ombilic des limbes, 1925.

LA MOMIE ATTACHÉE

Tâtonne à la porte, l'œil mort
et retourné sur ce cadavre,
ce cadavre écorché que lave
l'affreux silence de ton corps.

75

L'or qui monte, le véhément
silence jeté sur ton corps
et l'arbre que tu portes encore
et ce mort qui marche en avant.

— Vois comme tournent les fuseaux
dans les fibres du cœur écarlate,
ce grand cœur où le ciel éclate
pendant que l'or t'immerge les os —

C'est le dur paysage de fond
qui se révèle pendant que tu marches
et l'éternité te dépasse
car tu ne peux passer le pont.

L'Ombilic des limbes, 1925.

TUTUGURI[1]

LE RITE DU SOLEIL NOIR

Et en bas, comme au bas de la pente amère,
cruellement désespérée du cœur,
s'ouvre le cercle des six croix,
            très en bas,
comme encastré dans la terre mère,
désencastré de l'étreinte immonde de la mère
            qui bave.

---

1. *Tutuguri :* rite d'initiation chez les Indiens Tarahumaras (nord-ouest du Mexique).

La terre de charbon noir
est le seul emplacement humide
dans cette fente de rocher.

Le Rite est que le nouveau soleil passe par sept points avant
    d'éclater à l'orifice de la terre.

Et il y a six hommes,
un pour chaque soleil,
et un septième homme
qui est le soleil tout
                cru
habillé de noir et de chair rouge.

Or, ce septième homme
est un cheval,
un cheval avec un homme qui le mène.

Mais c'est le cheval
qui est le soleil
et non l'homme.

Sur le déchirement d'un tambour et d'une trompette longue,
    étrange,
les six hommes
qui étaient couchés,
roulés à ras de terre,
jaillissent successivement comme des tournesols,
non pas soleils
mais sols tournants,
des lotus d'eau,
et à chaque jaillissement
correspond le gong de plus en plus sombre
            et *rentré*
            du tambour
jusqu'à ce que tout à coup on voie arriver au grand galop,
    avec une vitesse de vertige,
le dernier soleil,

le premier homme,
le cheval noir avec un
       homme nu,
       absolument nu
       et *vierge*
       sur lui.

Ayant bondi, ils avancent suivant des méandres
    circulaires
et le cheval de viande saignante s'affole
et caracole sans arrêt
au faîte de son rocher
jusqu'à ce que les six hommes
aient achevé de cerner
complètement
les six croix.

Or, le ton majeur du Rite est justement
        L'ABOLITION DE LA CROIX.

Ayant achevé de tourner
ils déplantent
les croix de terre
et l'homme nu
sur le cheval
arbore
un immense fer à cheval
qu'il a trempé dans une coupure de son sang.

Pour en finir avec le jugement de Dieu, 1948.

Antonin Artaud

VITRES DE SON

1. Quelle est la structure de ce poème ? De quelle manière Antonin Artaud utilise-t-il des moyens traditionnels de versification pour exprimer son angoisse ?

2. Faites une étude approfondie de la musique de ce texte, en insistant notamment sur les assonances et les allitérations (voir p. 246-247).

3. Quelle(s) impression(s) ressentez-vous à la lecture de ce poème ? Pour quelles raisons ?

INVOCATION À LA MOMIE

1. Indiquez la structure et la composition de ce poème. Montrez comment l'auteur « dispose » de la poétique traditionnelle.

2. Quelle est la thématique de ce texte ? Rapprochez-le de certains poèmes de Charles Baudelaire.

3. De quelle manière se fait l'analogie entre la momie et le poète ?

TUTUGURI

1. Selon vous, d'où le poème tire-t-il sa force de suggestion ? Citez des exemples précis à l'appui de votre réponse.

2. Comment le caractère cruel et morbide de ce texte atteint-il une dimension fantastique ?

3. En quoi le poème restitue-t-il les éléments fondamentaux d'un rituel magique ? Quel peut en être le sens ?

ENSEMBLE DES TEXTES

1. Étudiez le rythme et les images dans la poésie d'Antonin Artaud.

2. De quelle manière l'auteur parvient-il à communiquer le mal de vivre dont il souffre et sa difficulté à dire ce mal ?

Jacques Prévert
(1900-1977)

Jacques Prévert en 1949,
photographie d'Herbert List.

Né à Neuilly, dans une famille de la petite bourgeoisie, Jacques Prévert adhère au surréalisme en 1925 et prend part aux activités du mouvement jusqu'en 1929. Il se tourne ensuite vers le théâtre populaire avec le groupe Octobre, pour lequel il écrit des textes. Certaines de ses poésies sont mises en musique sous la forme de chansons par Joseph Kosma. Prévert travaille aussi pour le cinéma et collabore notamment avec le réalisateur Marcel Carné, dont il devient le scénariste et dialoguiste attitré (*Drôle de drame,* 1937 ; *les Visiteurs du soir,* 1942 ; *les Enfants du paradis,* 1943-1945). Son activité poétique se poursuit pendant ce temps et la publication de son recueil *Paroles* (1945) le rend célèbre et en fait le plus populaire des poètes français du XXe siècle. Il meurt à Omonville-la-Petite, en Normandie, auprès de sa femme Janine.

Œuvres essentielles : *Paroles,* 1945 ; *Spectacle,* 1951 ; *la Pluie et le Beau Temps,* 1955 ; *Fatras,* 1961.

CHANSON POUR CHANTER À TUE-TÊTE
ET À CLOCHE-PIED

Un immense brin d'herbe
   Une toute petite forêt
    Un ciel tout à fait vert
    Et des nuages en osier
Une église dans une malle
La malle dans un grenier
Le grenier dans une cave
Sur la tour d'un château
   Le château à cheval
À cheval sur un jet d'eau
Le jet d'eau dans un sac
   À côté d'une rose
   La rose d'un fraisier
Planté dans une armoire
Ouverte sur un champ de blé
   Un champ de blé couché
Dans les plis d'un miroir
Sous les ailes d'un tonneau
Le tonneau dans un verre
Dans un verre à Bordeaux
Bordeaux sur une falaise
Où rêve un vieux corbeau
Dans le tiroir d'une chaise
   D'une chaise en papier
En beau papier de pierre
   Soigneusement taillé
Par un tailleur de verre
   Dans un petit gravier
Tout au fond d'une mare
Sous les plumes d'un mouton
   Nageant dans un lavoir
À la lueur d'un lampion

Éclairant une mine
Une mine de crayons
Derrière une colline
Gardée par un dindon
Un gros dindon assis
Sur la tête d'un jambon
Un jambon de faïence
Et puis de porcelaine
Qui fait le tour de France
À pied sur une baleine
Au milieu de la lune
Dans un quartier perdu
Perdu dans une carafe
Une carafe d'eau rougie
D'eau rougie à la flamme
À la flamme d'une bougie
Sous la queue d'une horloge
Tendue de velours rouge
Dans la cour d'un école
Au milieu d'un désert
Où de grandes girafes
Et des enfants trouvés
Chantent chantent sans cesse
À tue-tête à cloche-pied
Histoire de s'amuser
Les mots sans queue ni tête
Qui dansent dans leur tête
Sans jamais s'arrêter

Et on recommence
Un immense brin d'herbe
Une toute petite forêt...

....

etc., etc., etc.

Histoires, 1946.

PATER NOSTER[1]

Notre Père qui êtes aux cieux
Restez-y
Et nous nous resterons sur la terre
Qui est quelquefois si jolie
Avec ses mystères de New York
Et puis ses mystères de Paris
Qui valent bien celui de la Trinité[2]
Avec son petit canal de l'Ourcq[3]
Sa grande muraille de Chine
Sa rivière de Morlaix[4]
Ses bêtises de Cambrai[5]
Avec son océan Pacifique
Et ses deux bassins aux Tuileries[6]
Avec ses bons enfants et ses mauvais sujets
Avec toutes les merveilles du monde
Qui sont là
Simplement sur la terre
Offertes à tout le monde
Éparpillées
Émerveillées elles-mêmes d'être de telles merveilles
Et qui n'osent se l'avouer
Comme une jolie fille nue qui n'ose se montrer

---

1. *Pater noster* : début de la prière (en latin) qui invoque Dieu chez les chrétiens (« Notre Père »).
2. *Trinité* : mystère de la substance de Dieu en trois personnes : le Père, le Fils et le Saint-Esprit.
3. *Canal de l'Ourcq* : l'un des canaux qui relient l'Ourcq à la Seine. Il passe par le bassin de la Villette, à Paris.
4. *Morlaix* : ville du Finistère, en Bretagne.
5. *Bêtises de Cambrai* : friandises, spécialités de cette ville du Nord.
6. *Tuileries* : ancien palais parisien qui fut démoli. Ses jardins ont été conservés et aménagés.

Avec les épouvantables malheurs du monde
Qui sont légion
Avec leurs légionnaires
Avec leurs tortionnaires
Avec les maîtres de ce monde
Les maîtres avec leurs prêtres leurs traîtres et leurs
reîtres[1]
Avec les saisons
Avec les années
Avec les jolies filles et avec les vieux cons
Avec la paille de la misère pourrissant dans l'acier des
canons.

Paroles, 1945.

CHANSON DE L'OISELEUR

L'oiseau qui vole si doucement
L'oiseau rouge et tiède comme le sang
L'oiseau si tendre l'oiseau moqueur
L'oiseau qui soudain prend peur
L'oiseau qui soudain se cogne
L'oiseau qui voudrait s'enfuir
L'oiseau seul et affolé
L'oiseau qui voudrait vivre
L'oiseau qui voudrait chanter
L'oiseau qui voudrait crier
L'oiseau rouge et tiède comme le sang

---

1. *Reîtres :* cavaliers allemands mercenaires (sens originel) ; soudards
(sens actuel).

L'oiseau qui vole si doucement
C'est ton cœur jolie enfant
Ton cœur qui bat de l'aile si tristement
Contre ton sein si dur si blanc.

Paroles, 1945.

POUR FAIRE LE PORTRAIT D'UN OISEAU

À Elsa Henriques[1]

Peindre d'abord une cage
avec une porte ouverte
peindre ensuite
quelque chose de joli
quelque chose de simple
quelque chose de beau
quelque chose d'utile
pour l'oiseau
placer ensuite la toile contre un arbre
dans un jardin
dans un bois
ou dans une forêt
se cacher derrière l'arbre
sans rien dire
sans bouger...
Parfois l'oiseau arrive vite
mais il peut aussi bien mettre de longues années
avant de se décider

---

1. *Elsa Henriques* : illustratrice de l'œuvre de Prévert née en 1921.

Ne pas se décourager
attendre
attendre s'il le faut pendant des années
la vitesse ou la lenteur de l'arrivée de l'oiseau
n'ayant aucun rapport
avec la réussite du tableau
Quand l'oiseau arrive
s'il arrive
observer le plus profond silence
attendre que l'oiseau entre dans la cage
et quand il est entré
fermer doucement la porte avec le pinceau
puis
effacer un à un tous les barreaux
en ayant soin de ne toucher aucune des plumes de l'oiseau
Faire ensuite le portrait de l'arbre
en choisissant la plus belle de ses branches
pour l'oiseau
peindre aussi le vert feuillage et la fraîcheur du vent
la poussière du soleil
et le bruit des bêtes de l'herbe dans la chaleur de l'été
et puis attendre que l'oiseau se décide à chanter
Si l'oiseau ne chante pas
c'est mauvais signe
signe que le tableau est mauvais
mais s'il chante c'est bon signe
signe que vous pouvez signer
Alors vous arrachez tout doucement
une des plumes de l'oiseau
et vous écrivez votre nom dans un coin du tableau.

Paroles, 1945.

Jacques Prévert

Jacques Prévert

CHANSON POUR CHANTER À TUE-TÊTE ET À CLOCHE-PIED

1. Quel est le système ludique qui préside à l'élaboration de ce texte ? Vous noterez les ruptures dans ce système et vous essaierez de les analyser.
2. Sur quel principe repose la succession des images ?
3. En quoi un tel poème est-il représentatif du surréalisme ?

PATER NOSTER

1. Quel est le thème de ce texte ?
2. Quels sont les moyens qu'utilise Prévert pour dénoncer la société ?
3. Essayez de justifier le titre du poème.

POUR FAIRE LE PORTRAIT D'UN OISEAU

1. Montrez comment l'auteur parvient à détourner les règles de la « recette » à des fins poétiques.
2. De quelle manière l'auteur joue-t-il des sons et du rythme ? Vous repérerez les reprises, les répétitions et leurs apparitions dans le texte pour analyser leur fonction.
3. Étudiez les phénomène de la métamorphose : comment l'auteur se soustrait-il peu à peu du poids de la réalité pour donner à son poème une dimension onirique ?

ENSEMBLE DES TEXTES

1. Étudiez la part du jeu dans la poésie de Jacques Prévert.
2. Comment l'utilisation du langage familier permet-elle à l'auteur d'atteindre une expressivité certaine ?
3. Peut-on affirmer que Jacques Prévert est un poète populaire ? Argumentez votre réponse.

Robert Desnos
(1900-1945)

Né à Paris d'un père mandataire aux Halles, Robert Desnos entre en relation dès 1919 avec Benjamin Péret et André Breton. Mais le service militaire interrompt pour deux ans sa vie parisienne. À son retour, en 1922, il s'intègre au groupe de *Littérature* et se révèle le meilleur « médium » des expériences hypnotiques. Il participe pleinement à la vie du groupe surréaliste jusqu'en 1927. Contre le choix de

Robert Desnos, dessin de Georges Malkine (1898-1970).

Breton, il refuse de s'engager politiquement et d'adhérer au parti communiste. Dès 1929, il mène une activité journalistique qui n'a plus rien à voir avec le surréalisme. Il vit avec une personnalité de Montparnasse : Youki Foujita. S'il n'accepte pas le principe marxiste de la lutte des classes, il lutte néanmoins contre le fascisme et se range du côté du Front populaire en 1936. Il est particulièrement touché par la guerre d'Espagne. Mobilisé en 1939, il poursuit pendant l'Occupation une faible activité journalistique, tout en participant à la Résistance. Il est arrêté en 1944 par les nazis et déporté au camp de concentration de Terezín, en Tchécoslovaquie, où il mourra d'épuisement.

Œuvres essentielles : *C'est les bottes de sept lieues,* 1926 ; *la Liberté ou l'Amour,* 1927 ; *Corps et Biens,* 1930 ; *Destinée arbitraire,* 1975 (posthume).

DESTINÉE ARBITRAIRE

À Georges Malkine[1]

Voici venir le temps des croisades.
Par la fenêtre fermée les oiseaux s'obstinent à parler
comme les poissons d'aquarium.
À la devanture d'une boutique
une jolie femme sourit.
Bonheur tu n'es que cire à cacheter
et je passe tel un feu follet.
Un grand nombre de gardiens poursuivent
un inoffensif papillon échappé de l'asile
Il devient sous mes mains pantalon de dentelle
et ta chair d'aigle
Ô mon rêve quand je vous caresse !
Demain on enterrera gratuitement
on ne s'enrhumera plus
on parlera le langage des fleurs
on s'éclairera de lumières inconnues à ce jour.
Mais aujourd'hui c'est aujourd'hui
Je sens que mon commencement est proche
pareil aux blés de juin.
Gendarmes passez-moi les menottes.
Les statues se détournent sans obéir.
Sous leur socle j'inscrirai des injures et le nom
de mon pire ennemi.
Là-bas dans l'océan
Entre deux eaux

---

1. *Georges Malkine* : peintre surréaliste (1898 - 1970) cité par André Breton dans le *Manifeste du surréalisme* de 1924 comme « ayant fait acte de surréalisme ».

Un beau corps de femme
Fait reculer les requins
Ils montent à la surface se mirer dans l'air
et n'osent pas mordre aux seins
aux seins délicieux.

Destinée arbitraire (publication posthume, 1975).

LE MARCHÉ AUX OISEAUX

Le corridor s'allonge à perte d'âme
Félicité reine des rêves
Une bouteille qui s'ouvre libère un colibri
poursuivi par la Justine divine
Ceci est notre couteau
Ceci est notre cerveau
Ceci est votre chemin
Tremblante haleine des filles : échelles d'où
descendent de longues caravanes de flammes
La locomotive dit que c'est elle qui a
dérobé le portefeuille
De toutes parts les amies montèrent à l'assaut
Le dentiste hésitait entre un baiser et un
colibri le même
Quand il se releva qu'il était vieux
L'évêque consacre les artichauts devant le
nouveau Dieu attaché à un aimant
Une colline singulière du crime et châtiment
Le cycliste saute et retombe à reculons dans la vie.

Destinée arbitraire (publication posthume, 1975).

PORTE DU SECOND INFINI

À Antonin Artaud

L'encrier périscope[1] me guette au tournant
mon porte-plume rentre dans sa coquille
La feuille de papier déploie ses grandes ailes blanches
Avant peu ses deux serres
m'arracheront les yeux
Je n'y verrai que du feu mon corps
feu mon corps !
Vous eûtes l'occasion de le voir en grand appareil
le jour de tous les ridicules
Les femmes mirent leurs bijoux dans leur bouche
comme Démosthène[2]
Mais je suis inventeur d'un téléphone de
verre de Bohême[3] et de
tabac anglais
en relation directe
avec la peur !

Destinée arbitraire
(publication posthume, 1975).

---

1. *Périscope :* appareil optique formé de lentilles et de prismes, qui permet de voir par-dessus un obstacle.
2. *Démosthène :* homme politique et orateur athénien (384 - 322 av. J.-C.). Pour améliorer sa diction, il s'entraînait à parler avec des cailloux dans la bouche.
3. *Verre de Bohême :* cristal réputé.

BAGATELLES

Vous reviendrez me voir, dit-elle
Quand vous serez riche à millions
Quand les roses de Bagatelle[1],
Sous la neige s'épanouiront.

Lavant le sable des rivières,
Brisant le quartz, ouvrant le tronc
Des caoutchoucs à la lisière
D'un enfer d'arbres aux fûts[2] ronds,

Libérant des nids de pétrole,
Ou labourant les Alaskas,
Quatre-vingts ans, la terre molle
Cacha le trésor des Incas.

Quand il revint, elle était morte,
Il était bête, il était vieux,
Mais les amants de cette sorte
Ne sont pas tellement nombreux.

Que fleurissent à Bagatelle
Les roses de poudre et frimas[3],
Mais que fleurissent surtout celles
Que l'on aime jusqu'au trépas.

Destinée arbitraire (publication posthume, 1975).

---

1. *Bagatelle* : parc floral parisien.
2. *Fûts* : ici, parties des troncs d'arbres qui ne portent pas de rameaux.
3. *Frimas* : brouillard froid et épais qui se glace en tombant (terme littéraire). « Poudré à frimas » signifie : coiffé d'une légère couche de poudre blanche.

CHANT DU CIEL

La fleur des Alpes disait au coquillage : « tu luis »
Le coquillage disait à la mer : « tu résonnes »
La mer disait au bateau : « tu trembles »
Le bateau disait au feu : « tu brilles »
Le feu me disait : « je brille moins que ses yeux »
Le bateau me disait : « je tremble moins que ton cœur
     quand elle paraît »
La mer me disait : « je résonne moins que son nom
     en ton amour »
Le coquillage me disait : « je luis moins que le phosphore du
     désir dans ton rêve creux »
La fleur des Alpes me disait : « elle est belle »
Je disais : « elle est belle, elle est belle, elle est émouvante ».

Corps et Biens, 1930.

VIE D'ÉBÈNE

Un calme effrayant marquera ce jour
Et l'ombre des réverbères et des avertisseurs d'incendie
     fatiguera la lumière
Tout se taira les plus silencieux et les plus bavards
Enfin mourront les nourrissons braillards
Les remorqueurs les locomotives le vent
Glisser en silence
On entendra la grande voix qui venant de loin passera
     sur la ville
On l'attendra longtemps

Puis vers le soleil de milord[1]
Quand la poussière les pierres et l'absence de larmes
    composent sur les grandes places désertes la robe
    du soleil
Enfin on entendra venir la voix
Elle grondera longtemps aux portes
Elle passera sur la ville arrachant les drapeaux
    et brisant les vitres
On l'entendra
Quel silence avant elle mais plus grand encore le silence
    qu'elle ne troublera pas mais qu'elle accusera du délit
    de mort prochaine qu'elle flétrira qu'elle dénoncera
Ô jour de malheurs et de joies
Le jour le jour prochain où la voix passera sur la ville
Une mouette fantomatique m'a dit qu'elle m'aimait
    autant que je l'aime
Que ce grand silence terrible était mon amour
Que le vent qui portait la voix était la grande révolte
    du monde
Et que la voix me serait favorable.

Corps et Biens, 1930.

Robert Desnos

---

1. *Milord* : titre honorifique anglais.

Robert Desnos

DESTINÉE ARBITRAIRE

1. Comment le contraste des images mène-t-il au burlesque et au merveilleux à la fois (voir p. 247-248).

2. Montrez qu'en dépit d'une incohérence apparente il est possible de dégager une progression dans ce poème.

3. Quel est, selon vous, le thème dominant de ce texte. Quel pourrait être le rapport entre ce thème et le titre du poème ?

BAGATELLES

1. De quelle manière Desnos s'amuse-t-il avec la versification ? Comment parvient-il à tirer profit des modèles qu'il s'impose lui-même (rime, mètre, strophe, ponctuation, etc.) ?

2. Comment l'auteur, à l'aide de moyens traditionnels, arrive-t-il à tourner en dérision une histoire d'amour ?

3. Montrez que le poète emploie l'ironie (voir p. 248) jusqu'à l'absurde.

VIE D'ÉBÈNE

1. Sur quel(s) effet(s) repose le ton prophétique du poème ?

2. Dégagez la progression dramatique des images.

3. Étudiez l'effet de méprise fourni par le thème évoqué à la fin du poème. Comment l'idée de l'amour est-elle transfigurée ?

ENSEMBLE DES TEXTES

1. De quelle manière Robert Desnos rend-il compatible la spontanéité onirique et l'écriture travaillée ?

2. Répertoriez les images chères à Desnos et les thèmes spécifiques auxquels elles se rapportent (l'amour, le rêve, la mort, etc.).

René Daumal
(1908-1944)

René Daumal, dessin
de M. Henry (1907-1984).

Né dans les Ardennes, René Daumal organise avec deux de ses compagnons d'études secondaires à Reims, Roger Gilbert-Lecomte et Roger Vailland, une communauté initiatique qu'ils appellent ironiquement « le Club des Simplistes ». Ils créent en 1928 la revue *le Grand Jeu* dans laquelle Daumal publie ses premiers poèmes. Il se rapproche alors des surréalistes mais rompt bien vite avec eux : s'il partage leur esprit de révolte, il affirme la particularité de sa quête spirituelle, incompatible avec l'éthique du mouvement. Il passe en 1931 sa licence de philosophie et rencontre l'année suivante Vera Milanova, qui devient sa femme. À partir de cette époque, il commence l'étude du sanskrit et se passionne pour la philosophie de l'Inde. Il consacre les dernières années de sa vie à l'approfondissement de la pensée orientale ; mais il meurt à l'âge de trente-six ans d'une tuberculose contractée en 1939.

Œuvres essentielles : *le Contre-Ciel,* 1936 ; *la Grande Beuverie,* 1938 ; *le Mont analogue* (roman inachevé, publication posthume, 1952) ; *Poésie noire, poésie blanche* (publication posthume, 1954).

LA SEULE

Je connais déjà ta saveur,
je connais l'odeur de ta main,
maîtresse de la peur,
maîtresse de la fin.

J'ai touché déjà tes os
à travers ta chair sans âge
pétrie d'insectes millénaires
et de calices de fleurs futures.

J'ai dormi depuis les déluges, j'ai dormi
au fond de toi, sur ton épaule, j'ai dormi sans nom
  — ta poitrine n'a pas changé
l'air de la vie n'a plus le nerf de m'éveiller —
ne me nomme jamais, ne me réveille pas,
tes poumons immobiles ont désappris aux miens
à respirer le souffle faible de ce monde,
le mourant ! car il agonise dans les trompettes,
les pluies battantes, et qu'il crève, le géant faible,
monde vieillard qui s'époumone
dans le feu pâle auréolant ta tête.
Cette lueur, ô veilleuse aveugle des morts, pensante
sans sommeil au fond des rêves
loin de l'huile de la vie,
endormeuse, nous avons ensemble ce secret
que je t'ai pris au carrefour martelé de lune ;
souviens-toi, tu étais habillée en petite fille,
tu guettais sur les dalles, la bouche sur ton secret.
Souviens-toi, je t'ai prise aux cheveux,
tu as desserré les dents,
souviens-toi, pour moi, pour moi seul,

parce que j'avais tout trahi pour toi
oui, messieurs de la fumée et de l'ombre,
je vous ai trahis tous pour elle ;
eau-mère, la vie que tu m'as donnée,
la vie avec la bouche bée,
je l'ai trahie et j'ai trahi le monde pour elle,
pour cette enfant que de vie en vie je retrouve,
l'endormeuse sans sommeil,
la veilleuse de la fin — ô ma mort !

Tu as desserré les dents ;
la boule, le feu, l'astre de gorge,
la convulsion folle derrière tes lèvres,
indéfiniment derrière tes dents, ce mur
où tant d'autres se cassent la tête,
et ce que je ne puis dire...

Mais à qui parlerai-je ? Toute oreille, tout œil
sombrent dans le silence et la nuit sans mémoire.
Tu veilles seule, enfant des baumes,
mort du carrefour, bois mon sommeil,
ne laisse rien de moi,
je suis seul à t'avoir vue plus présente qu'elles,
les fumées femelles,
les rôdeuses qu'un vrai regard dissipe,
je t'aime plus loin qu'au fond des rêves,
maîtresse de la peur, maîtresse de la fin,
ne m'éveille plus,
ne me nomme plus.

Août 1929.

Le Contre-Ciel, 1936.

PERSÉPHONE[1]
C'EST-À-DIRE DOUBLE ISSUE

Mémoire de mes morts, trou noir à travers tout
béant sur la mer des vertiges,
redescends en spirale au centre de l'horreur,
creuse-toi pour me recevoir
dans ta bouche la goulue,
vers ton cœur brûlant noir, avec le fleuve tiède
du sang de mes multiples corps, le long des siècles,
fleuve lent s'enroulant en serpent rouge sombre
vers ton gouffre dévorant, la nuit brûlante de ton ventre,
mangeuse sans repos de nos peaux desséchées,
nageuse sans repos dans la mer de nos sangs
mêlés enfin ! et qu'ils coulent et qu'ils déferlent
et sur l'imprévisible rive au-delà des temps,
au-delà des mondes, qu'ils se dressent,
caillés soudain en un mur plein de bulles,
suintant des eaux d'effroi, larmes d'yeux irisés
qui crèvent et c'est le dernier chant,
leur écoulement qui se fige en statues,
neufs animaux appelant l'âme du feu
derrière les océans de peur,
plus loin que les sanglots sous les dernières voûtes
où le dernier des morts à larges pas sans hâte
marche, et rien ne reste derrière lui :
il va dormir dans la vague immobile,

---

1. *Perséphone* : dans l'Antiquité grecque, déesse qui fut enlevée et
épousée par le dieu des Enfers Hadès (Pluton chez les Romains). Elle
revenait sur terre une partie de l'année et symbolisait la renaissance
du printemps.

mais prête pour de nouveaux germes, de nos cris,
de nos sangs solides aux yeux de pétrole.
Une voix s'éternise et meurt de solitude,
une voix se tait.
Et toi, toi qui ne voulais plus renaître,
retourne aux maisons de souffrance,
retourne aux chœurs souterrains sous les dalles,
retourne à la ville sans ciel,
refais ton chemin à l'envers.
La matrice qui t'engendra se retourne
et te bave vivant à la face du monde,
larve d'épouvante là-bas, et bientôt
tu vas recommencer à te plaindre du ciel,
de toi-même et de la vie, ta vomissure.

Le Contre-Ciel, 1936.

CIVILISATION

Lorsque la parole fut inscrite
pour la première fois,
l'air clarifié ne pesait plus dans les têtes
et la multitude avait soif.
Tous les germes morts, morts dans leur descendance,
l'écorce était le tombeau de la graine,
la montagne achevait de saigner,
et la terre du sang était pierre,
et l'eau du sang était à la mer,
et le feu du sang à l'éclair.

Ils gémissaient, les vieux couverts de rouille :
« ... retourne à la rue, mon souffle !
va piétiner sur les planètes
avec tes pas lourds dans la nuit des cavernes.
Mes enfants n'ont plus de pensées !
Mes beaux enfants ont la cervelle vide.
La vie est facile, ils ne vivent plus... »
et les vieux mouraient entre les dents de la montagne,
leurs visages veinent le marbre,
sous le silex dorment profonds
ceux qui furent plus profonds que le fond de leurs os.

Sous un thorax d'oiseau le vide
sans bornes a cessé de bourdonner.
Mille loups aveugles dans cette soupente !
et moi qui n'ai plus le souffle*.

*Je l'ai retrouvé depuis[1].

Le Contre-Ciel, 1936.

LE PROPHÈTE

L'enfant qui parlait au nom du soleil
allait par les rues du village mort,
les rats couraient vers ses pieds nus
lorsqu'il s'arrêtait aux carrefours.

---

1. Note de René Daumal.

L'enfant appela d'une voix pleine de galères,
de voiles blanches et de poissons volants,
et les hommes changés en pierre
s'éveillèrent en grinçant.

C'était l'aube annoncée par les flèches sifflantes
des joyeux archers du voisinage,
les hommes venaient, chacun portant sa nuit
comme on porte une ombrelle.

Ils s'accroupirent autour de l'enfant,
et leurs gros yeux rouges riaient,
et leurs larges bouches crachaient
du sable à travers les dents.

L'enfant qui parlait au nom du soleil,
dit : « N'écoutez plus le chant du coq stupide »
et les hommes aux longues lèvres se tapaient
le derrière sur les pavés.

L'enfant dit : « Vous riez, vous riez,
mais lorsque vous vous éveillerez
avec du sang plein les oreilles,
alors, vous ne rirez plus. »

Sa tête tomba, écrasante et chaude
sur l'épaule d'une jeune femme,
elle crut qu'il voulait l'embrasser
et se mit à rire d'effroi.

« Vous riez, vous riez, lui dit-il,
— et les vieux montraient leurs crocs jaunes —
votre rire n'est pas l'aumône
que réclame la Gueule céleste.

Il lui faut vos nourrissons,
vos nez fraîchement coupés,
il lui faut une moisson
d'orteils pour son souper.

Elle rit, elle rit, la grande Gueule,
elle brille, elle grésille,
vous riez, vous riez, épouvantable aïeule,
mais bientôt, grand-mère, vos fils et vos filles
ne riront plus, ne riront plus.
Vous riez sous vos parasols de nuit,
ils vont craquer, ils vont craquer,
entendez rire la grande Gueule,
car bientôt vous ne rirez plus. »

Le Contre-Ciel, 1936.

LES QUATRE TEMPS CARDINAUX

La poule noire de la nuit
vient encore de pondre une aurore.
Salut le blanc, salut le jaune,
salut, germe qu'on ne voit pas.

Seigneur Midi, roi d'un instant
au haut du jour frappe le gong.
Salut à l'œil, salut aux dents,
salut au masque dévorant, toujours !

Sur les coussins de l'horizon,
le fruit rouge du souvenir.
Salut, soleil qui sait mourir,
salut, brûleur de nos souillures.

Mais en silence je salue la grande Minuit,
Celle qui veille quand les trois s'agitent.
Fermant les yeux je la vois sans rien voir par-delà les
    ténèbres.
Fermant l'oreille j'entends son pas qui ne s'éloigne pas.

1943.

Les Dernières Paroles du poète, 1943.

René Daumal

PERSÉPHONE C'EST-À-DIRE LA DOUBLE ISSUE

1. À partir de la référence mythologique du titre, établissez le réseau des mots et des expressions se rapportant à la mort.

2. Comment le poète parvient-il à transmettre son dégoût, sa « vomissure » ?

3. Étudiez le mètre et la syntaxe. Quels effets produit le rythme sur l'atmosphère du poème ?

LE PROPHÈTE

1. Distinguez dans ce poème la part dramatique de la part didactique. Montrez que toutes deux mènent à l'allégorie (voir p. 246).

2. Quel est le sens de la prophétie de l'enfant ? À votre avis, quelle idée Daumal veut-il traduire ici ?

3. Quelle relation peut-on établir entre le jeu poétique au sens où l'entendaient les surréalistes et le sérieux philosophique qui transparaît dans le texte ?

LES QUATRE TEMPS CARDINAUX

1. Étudiez la structure de ce poème. En quoi se rattache-t-il à la tradition poétique ?

2. Soyez attentifs à l'enchaînement des images et des périodes (voir p. 249). Où y a-t-il progression (c'est-à-dire poursuite d'un même thème) ? Où s'établit la césure (rupture du thème précédent et apparition d'une nouvelle image) ?

3. Montrez qu'un certain humour et une certaine désinvolture conduisent à l'horreur et à l'angoisse.

ENSEMBLE DES TEXTES

1. Essayez de définir la vision philosophique de Daumal.

2. Comment Daumal parvient-il à communiquer son angoisse et son vertige ? Vous vous appuierez sur des exemples précis et mettrez en évidence les procédés stylistiques.

Michel Leiris
(1901-1990)

Michel Leiris, ethnographe,
dessin de Maurice Henry.

Né à Paris, Michel Leiris commence à écrire vers l'âge de vingt ans. Introduit auprès des surréalistes par le peintre André Masson, il participe dès 1924 à leur mouvement dont il se séparera en 1929. Il ne renoncera pas pour autant aux buts d'émancipation tant individuelle que collective propres au surréalisme. C'est à cette époque qu'il opte pour le métier d'ethnologue. Il est invité à participer à la mission Dakar-Djibouti (1931-1933), dernière grande expédition ethnologique organisée par le musée de l'Homme. Il commence alors à écrire des récits autobiographiques. Tout en poursuivant son œuvre poétique, il est l'auteur de nombreuses études critiques. Il se rapproche par la suite de Jean-Paul Sartre dont il soutient les positions politiques. En dehors de ses voyages professionnels qui l'ont conduit de l'Afrique noire aux Antilles, Michel Leiris a visité l'Égypte, l'Afrique du Nord, la Chine, le Japon et Cuba à plusieurs reprises, comme sympathisant de la révolution castriste.

Œuvres essentielles : *Haut-Mal,* 1943 ; *l'Afrique fantôme* (essai), 1934 ; *l'Âge d'homme* (essai), 1939-1964.

LÉGENDE

Aujourd'hui les portes s'agitent
les serrures ne dorment pas tranquilles dans leur obscurité
plus calme qu'une mer d'huile

Grandes tentures harnachées d'yeux de femmes
vous croulez comme un nuage rideau qui se déchire
et démasque le soleil qui n'est qu'un bûcher de prunelles

Une Inquisition[1] sourde épouvantait la pièce
tenailles des boiseries délavées
pilori[2] de la table
noyade du plafond
Les ciseaux ouvraient toutes grandes leurs mâchoires
en bâillements de veuve inconsolée
mais leurs branches lancées au hasard
ne coupaient que le vide
un vide hagard que la hauteur elle-même avait abandonné

Alors trois bûches se calcinèrent dans la cheminée
le lit s'ouvrit
et j'aperçus sortant à mi-corps de sa grève[3]
une femme belle et dénudée
qui jetait à la mer ses vêtements défaits

Grande figure fière
tu ne fus pas longue à t'engloutir dans les sables mouvants
Tes boucles elles-mêmes ne furent pas épargnées

---

1. *Inquisition* : tribunal spécial institué par la papauté au XVe siècle pour lutter contre l'hérésie. Par extension, questionnement qui donne une atmosphère de procès cruel.
2. *Pilori* : poteau où on attachait des condamnés.
3. *Grève* : plage.

Tout entière tu disparus et la grève refermée
ne garda même pas l'odeur exquise de ton corps
vapeur d'ivresse souterraine
qui aurait pu encore atteindre les narines de l'univers
serrer ses tempes aériennes et même le dépraver

Seuls les vêtements cinglèrent vers d'autres sommeils

Ô buste aux flammes douces et mortes enlisées
le monde manque d'une pâture ardente
pour nourrir ses troupeaux enchantés

Haut-Mal, 1943.

JEUNES FILLES

Une fille étend les bras parallèlement aux lignes
        très pures de son corps
alors voici que le caillou s'entr'ouvre
révélant sa mer intérieure son écume cachée

Vagues solides sur qui roulent en parcelles de poussière
        des vaisseaux démâtés
marée montante dont le cours vient d'être suspendu
        par l'arrêt subit d'une lune d'acier se balançant
        entre quatre murs
rigides profondeurs inexploitables
la structure intime se dévoile
afin que ses échafaudages reproduisent retournée
la grande tour des secousses sismiques et ses lézardes
        de jouissance

Si vous joigniez les mains
jeunes filles aux longs colliers d'or rose
si vos genoux s'entrechoquaient comme des plantes
      déchirées
l'air s'emplirait d'un nuage étrange d'éther [1]
grisant comme une salive d'astre
une lèvre aux commissures de miel

Les infinis replis du corps sont des fleuves aux rives
      extrêmement douces
on aimerait y trouver des bosquets des tonnelles
      remplis d'amis joyeux
en revenir au crépuscule loin des chenils hargneux
mais trop de pierres sont sur ces routes souvent torrides
à cause d'un ciel malade qui laisse ainsi tomber en grêle
      ses ulcères [2]
Les barques sans voiles ni rames dans la pénombre glissent
les chansons tournent en morsures
et c'est au fond de la plus nue des paumes la formation
      de la ligne d'amour

Tendez jeunes filles tendez la fraîcheur de vos bras
leur pluie si fine dont ma tête s'étonne
ce que j'aimerai toujours c'est voir les murs se disloquer
les arcs se fendre de la tête aux pieds
les piles de bois pourrir puis se déformer

mais dites-moi quelle flèche en sortira ?

Haut-Mal, 1943.

---

1. *Éther :* liquide volatil et inflammable (sens scientifique). Partie la
plus haute de l'atmosphère (sens littéraire).
2. *Ulcères :* plaies.

HYMNE

Par toute la terre
lande errante
où le soleil me mènera la corde au cou
j'irai
chien des désirs forts
car la pitié n'a plus créance parmi nous

Voici l'étoile
et c'est la cible où la flèche s'enchâsse
clouant le sort qui tourne et règne
couronne ardente
loterie des moissons

Voici la lune
et c'est la grange de lumière

Voici la mer
mâchoire et bêche pour la terre
écume de crocs
barbes d'acier luisant aux babines des loups

Voici nos mains
liées aux marées comme le vent l'est à la flamme

Voici nos bouches
et l'horloge de minuit les dissout

quand l'eau-mère des ossatures
dépose les barques temporelles aux baies tranquilles
    de l'espace
et te fait clair comme un gel

ô brouillard tendre de mon sang

Haut-Mal, 1943.

Art wobé. Masque en bois originaire
de la région de Man, ville de l'ouest de la Côte-d'-Ivoire.
Musée de l'Homme, Paris.

JEUNESSE

Bonne écurie de l'aube
repos des arbres qui peignent le crin des nuages
boirai-je ton grand seau d'eau fraîche
sous le soleil chargé d'épis à pleins râteaux ?

Dans un théâtre de la ville
devant les habits noirs flanqués de peaux dorées
on joue ce spectacle abhorré[1]
l'enfance du cabinet noir du pain sec et de l'eau
        mais pas une larme ne perle aux cils
        pas un lustre ne s'illumine

De ci de là je me promène
La scie de mon regard tranche circulairement
   les horizons
et je me tiens debout
point noir du sceptre
au centre d'une ronde couronne
ma vie qui se défait tel un cercle dans l'eau

L'écume me bat Le vent me traîne
Enfant je n'aimais pas la mer
à cause de ses mains froides
de sa bouche salée
avant-goût de la mort et des faunes polaires
        mais des crèches s'allumaient
        dans la crypte de maints cils
        et j'espérais maints lits de paille
        nacrés par mains rois mages
        aux bras croulant de cadeaux

---

1. *Abhorré* : détesté, haï.

Cœur parfumé comme la myrrhe[1]
où sont les bougies braisillantes[2]
de cire à la pâleur de sel
qui fondait en langues patientes
et ne dardait aucun serpent ?

Haut-Mal, 1943.

LÉNA

Je pense à toi
et ton image bâtit autour de moi une forteresse
    à tel point inébranlable
que ni le bélier des nuages
ni la poix[3] molle de la pluie
ne peuvent rien
ô ma citerne de silence
contre le mur percé d'étoiles dont tu m'as circonscrit[4]

Les chiens rampent et les gens
jouent des coudes ou poussent des cris
Le manège sans orgue ni flonflons du monde
tourne
avec son auréole d'yeux d'enfants
jeu de bagues des Paradis

Je rêve en toi
ma citadelle sans fossés ni pont-levis

---

1. *Myrrhe* : résine odorante qui provient d'un arbre d'Arabie (terme littéraire).
2. *Braisillantes* : néologisme formé à partir du mot « braise ».
3. *Poix* : matière molle et collante à base de résine.
4. *Circonscrit* : entouré.

sans murs sans tours sans pierres ni mâchicoulis[1]
Je m'endors en buvant le vin très dense de ton ombre
qui couvre de son architecture sans autre poids
    que celui qui se compte aux balances d'obscurité
    et de lumière
tous les monts et tous les champs
toutes les vignes et tous les pays

Jadis
ma bouche narguait le beau temps
alors que mes regards ne redoutaient rien tant
que l'ouragan de l'univers
Ignorant si j'étais une bête
un arbre
un homme
des vents absurdes me drossaient[2]
mes bras en tous sens battaient l'air
et mon destin tombait comme tombent des pommes

Mais aujourd'hui
ô toi si pâle
parce que tu es mon ciel et le double miroir
    qui multiplie les murs et verse l'infini
    dans ma prison
j'écoute le sifflet des nuages
je ne crains plus rien ni personne
je parle aux neiges de l'hiver

Haut-Mal, 1943.

1. *Mâchicoulis :* créneau vertical ménagé en haut de remparts permettant notamment de déverser la poix sur les assaillants.
2. *Drossaïent :* déviaient (se dit pour un navire poussé hors de sa route par le vent ou le courant).

Michel Leiris

LÉGENDE

1. Après l'étude des images et de leur enchaînement, essayez de déduire l'unité du poème à travers sa symbolique.

2. Analysez la formation des images dans ce texte. Vous distinguerez les différents procédés (comparaisons, métaphores, synesthésies, etc.) en les classant selon qu'ils relèvent des domaines logique ou insolite. (Aidez-vous du Petit dictionnaire p. 246.)

3. Montrez que Michel Leiris reste plus fidèle qu'il n'y paraît à une métrique traditionnelle.

HYMNE

1. Quelle est la progression dans l'évocation des différents éléments du poème ? Quels effets produit la succession de ces tableaux ?

2. Quelles sont les images qui vous semblent les plus belles ? Vous justifierez votre réponse.

3. Repérez les moyens utilisés pour conférer à ce poème le ton de litanie propre à un hymne (rythme, choix des mètres, tournures syntaxiques, etc.).

LÉNA

1. Quelle est la composition de ce poème ? Quels en sont les articulations et les points forts ?

2. Relevez les termes relatifs à l'architecture et aux éléments naturels. Montrez que ces deux réseaux d'images s'imbriquent. Quelle valeur symbolique confèrent-ils à la femme ?

ENSEMBLE DES TEXTES

1. Définissez le rôle des images dans la structure de ces poèmes.

2. Étudiez le thème de l'amour dans la poésie de Michel Leiris.

René Char
(1907-1988)

Né à L'Isle-sur-la-Sorgue, dans le Vaucluse, René Char est introduit auprès des surréalistes par Paul Eluard en 1929. Il participe au dernier numéro de *la Révolution surréaliste* puis au *Surréalisme au service de la révolution*. Il collabore notamment

René Char, photographie de Lüfti Özkök (détail), D.R.

à un recueil de poèmes collectifs en 1930 avec Breton et Eluard *(Ralentir travaux)*. Sans renoncer pour autant aux valeurs et aux buts du mouvement qu'il avait faits siens, il s'écarte cependant du groupe surréaliste dès 1935. Pendant la guerre, il joue un rôle important dans les maquis des Basses-Alpes, sous le nom de capitaine Alexandre. Son expérience dans la Résistance a fortement marqué son œuvre. Après la Libération, il se retire dans sa ville natale où il poursuit, solitaire et secret, son activité poétique.

Œuvres essentielles : *le Marteau sans maître,* 1934 ; *Fureur et Mystère,* 1948 ; *Recherche de la base et du sommet,* 1955 ; *le Nu perdu,* 1971 ; *la Nuit talismanique,* 1972.

La lanterne s'allumait. Aussitôt une cour de prison l'étreignait. Des pêcheurs d'anguilles venaient là fouiller de leur fer les rares herbes dans l'espoir d'en extraire de quoi amorcer leurs lignes. Toute la pègre des écumes se mettait à l'abri du besoin dans ce lieu. Et chaque nuit le même manège se répétait dont j'étais le témoin sans nom et la victime. J'optai pour l'obscurité et la réclusion.

Étoile du destiné. J'entr'ouvre la porte du jardin des morts. Des fleurs serviles se recueillent. Compagnes de l'homme. Oreilles du Créateur.

Fureur et Mystère, 1948.

LES TROIS SŒURS

Mon amour à la robe de phare bleu,
je baise la fièvre de ton visage
où couche la lumière qui jouit en secret.

J'aime et je sanglote. Je suis vivant
et c'est ton cœur cette Étoile du Matin
à la durée victorieuse qui rougit avant
de rompre le combat des Constellations.

Hors de toi, que ma chair devienne la voile
qui répugne au vent.

I

Dans l'urne des temps secondaires
L'enfant à naître était de craie.
La marche fourchue des saisons
Abritait d'herbe l'inconnu.

La connaissance divisible
Pressait d'averses le printemps.

Un aromate de pays
Prolongeait la fleur apparue.

Communication qu'on outrage,
Écorce ou givre déposés ;
L'air investit, le sang attise ;
L'œil fait mystère du baiser.

Donnant vie à la route ouverte,
Le tourbillon vint aux genoux ;
Et cet élan, le lit des larmes
S'en emplit d'un seul battement.

II

La seconde crie et s'évade
De l'abeille ambiante et du tilleul vermeil
Elle est un jour de vent perpétuel,
Le dé bleu du combat, le guetteur qui sourit
Quand sa lyre profère : « Ce que je veux, sera. »

C'est l'heure de se taire
De devenir la tour
Que l'avenir convoite.

Le chasseur de soi fuit sa maison fragile :
Son gibier le suit n'ayant plus peur.

Leur clarté est si haute, leur santé si nouvelle,
Que ces deux qui s'en vont sans rien signifier
Ne sentent pas les sœurs les ramener à elles
D'un long bâillon de cendre aux forêts blanches.

III

Cet enfant sur ton épaule
Est ta chance et ton fardeau.
Terre en quoi l'orchidée brûle,
Ne le fatiguez pas de vous.

Restez fleur et frontière,
Restez manne[1] et serpent ;
Ce que la chimère[2] accumule
Bientôt délaisse le refuge.

Meurent les yeux singuliers
Et la parole qui découvre.
La plaie qui rampe au miroir
Est maîtresse des deux bouges[3].

Violente l'épaule s'entr'ouvre ;
Muet apparaît le volcan.
Terre sur qui l'olivier brille,
Tout s'évanouit en passage.

Fureur et Mystère, 1948.

---

1. *Manne :* nourriture miraculeuse.
2. *Chimère :* monstre des mythologies antiques, mais aussi projet irréalisable.
3. *Bouges :* cafés, bars sordides et mal fréquentés.

LENTEUR DE L'AVENIR

Il faut escalader beaucoup de dogmes[1] et de glace pour jouer de bonheur et s'éveiller rougeur sur la pierre du lit.

Entre eux et moi il y eut longtemps comme une haie sauvage dont il nous était loisible de recueillir les aubépines en fleurs, et de nous les offrir. Jamais plus loin que la main et le bras. Ils m'aimaient et je les aimais. Cet obstacle *pour le vent* où échouait ma pleine force, quel était-il ? Un rossignol me le révéla, et puis une charogne.

La mort dans la vie, c'est inalliable, c'est répugnant ; la mort avec la mort, c'est approchable, ce n'est rien, un ventre peureux y rampe sans trembler.

J'ai renversé le dernier mur, celui qui ceinture les nomades des neiges, et je vois — ô mes premiers parents — l'été du chandelier.

Notre figure terrestre n'est que le second tiers d'une poursuite continue, un point, amont.

Le Nu perdu, 1971.

---

1. *Dogmes :* points rigoureux d'une doctrine religieuse.

LE TERME ÉPARS

Si tu cries, le monde se tait : il s'éloigne avec ton propre monde.

Donne toujours plus que tu ne peux reprendre. Et oublie. Telle est la voie sacrée.

Qui convertit l'aiguillon en fleur arrondit l'éclair.

La foudre n'a qu'une maison, elle a plusieurs sentiers. Maison qui s'exhausse[1], sentiers sans miettes.

Petite pluie réjouit le feuillage et passe sans se nommer.

Nous pourrions être des chiens commandés par des serpents, ou taire ce que nous sommes.

Le soir se libère du marteau, l'homme reste enchaîné à son cœur.

L'oiseau sous terre chante le deuil sur la terre.

Vous seules, folles feuilles, remplissez votre vie.

Un brin d'allumette suffit à enflammer la plage où vient mourir un livre.

L'arbre de plein vent est solitaire. L'étreinte du vent l'est plus encore.

Comme l'incurieuse vérité serait exsangue s'il n'y avait pas ce brisant[2] de rougeur au loin où ne sont point gravés le doute et le dit du présent. Nous avançons, abandonnant toute parole en nous le promettant.

Le Nu perdu, 1971.

---

1. *S'exhausse :* s'élève.
2. *Brisant :* rocher, écueil.

LE RAMIER[1]

Il gît, plumes contre terre et bec dans le mur.
Père et mère
Le poussèrent hors du nid quadrillé,
L'offrirent au chat de la mort.

J'ai tant haï les monstres véloces[2]
Que de toi j'ai fait mon conscrit[3] à l'œil nu
Jeune ramier, misérable oiseau.
Deux fois l'an nous chantons la forêt partenaire,
La herse[4] du soleil, la tuile entretenue.

Nous ne sommes plus souffre-douleur des antipodes.
Nous rallions nos pareils
Pour éteindre la dette
D'un volet qui battait
Généreux, généreux.

Le Nu perdu, 1971.

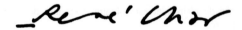

---

1. *Ramier :* pigeon commun.
2. *Véloces :* rapides.
3. *Conscrit :* soldat nouvellement recruté. « Mon conscrit » désigne par extension un compagnon d'armes.
4. *Herse :* grille.

René Char

LE TERME ÉPARS

1. Recherchez la définition du mot « aphorisme ». Quelles sont les incidences de cette forme d'expression sur la structure et l'unité du poème ?

2. Comparez le titre adopté à la forme du poème. Vous repérerez notamment les écarts de ton, définirez les effets de la ponctuation, etc. Vous mettrez en évidence la part de parodie (voir p. 249).

3. Quels sont les sentiments, les émotions et les idées qui se dégagent de ce texte ? Quelles réflexions vous inspire-t-il ?

LE RAMIER

1. Justifiez l'organisation du poème en strophes.

2. Comment le poète s'identifie-t-il au ramier ? Pourquoi cet oiseau, précisément ?

3. Quelle atmosphère se dégage de la dernière strophe ? Pour répondre, vous analyserez les différences formelles entre cette strophe et les deux premières.

ENSEMBLE DES TEXTES

1. Étude stylistique : la concision de l'image dans la poésie de René Char.

2. Étude thématique : comment le poète tente-t-il d'exprimer le sens profond de la nature, de son mystère et de la communion qu'il entretient avec elle ? De quelle manière y parvient-il ?

3. « Poésie du vœu pressant, de l'oracle, de l'apostrophe, de l'invocation, de l'interpellation, ce qui lui donne de la familiarité sans lui enlever rien de sa hauteur et de sa noblesse, elle existe surtout [...] dans le raccourci, la concision, le laconisme. » Ces propos du critique Yves Berger vous paraissent-ils bien définir la poésie de René Char ? Justifiez votre propos à l'aide d'exemples précis.

Aimé Césaire
(né en 1913)

Né à la Martinique dans
une famille modeste, Aimé
Césaire fait des études
secondaires à Fort-de-
France, puis vient à Paris
préparer une agrégation de
lettres au lycée Louis-le-
Grand. Il a pour condisciple
le poète Léopold Sédar
Senghor (futur président de

Aimé Césaire,
photographie de Martine Franck
(détail).

la République du Sénégal), qui lui fait découvrir l'Afrique.
Ensemble, ils établiront le concept de négritude. Aimé Césaire
épouse une Martiniquaise, Suzanne Roussi, retourne à la
Martinique comme professeur et fonde la revue *Tropiques,* où
paraissent des poèmes d'inspiration surréaliste. C'est à travers
cette revue que Breton, lors de son exil en 1941, découvre
Césaire. Celui-ci est élu maire de Fort-de-France, puis député
(communiste d'abord, non-apparenté par la suite). Il fonde le
parti progressiste martiniquais. Tout en poursuivant son œuvre
poétique, il écrit des textes pour le théâtre.

Œuvres essentielles : *Cahier d'un retour au pays natal,* 1945 ;
les Armes miraculeuses, 1946 ; *Soleil cou coupé,* 1948 ; *Cadastre,*
1964 ; *Moi, laminaire,* 1982 ; *la Tragédie du roi Christophe*
(théâtre), 1963.

SOLEIL SERPENT

Soleil serpent œil fascinant mon œil
et la mer pouilleuse d'îles craquant aux doigts des roses
lance-flamme et mon corps intact de foudroyé
l'eau exhausse[1] les carcasses de lumière perdues
    dans le couloir sans pompe
des tourbillons de glaçons auréolent le cœur fumant
    des corbeaux
nos cœurs
C'est la voix des foudres apprivoisées tournant
    sur leurs gonds de lézarde
transmission d'anolis[2] au paysage de verres cassés c'est les
fleurs vampires à la relève des orchidées
élixir du feu central
feu juste feu manguier[3] de nuit couvert d'abeilles mon désir
un hasard de tigres surpris aux soufres mais l'éveil stanneux[4]
se dore des gisements enfantins
et mon corps de galet mangeant poisson mangeant
colombes et sommeils
le sucre du mot Brésil au fond du marécage.

Les Armes miraculeuses, 1946.

---

1. *Exhausse :* élève.
2. *Anolis :* lézard d'Amérique (mot caraïbe).
3. *Manguier :* arbre fruitier tropical à grandes feuilles.
4. *Stanneux :* se dit d'un des oxydes de l'étain.

125

PROPHÉTIE

là où l'aventure garde les yeux clairs
là où les femmes rayonnent de langage
là où la mort est belle dans la main comme un oiseau
    saison de lait
là où le souterrain cueille de sa propre génuflexion[1] un luxe
    de prunelles plus violent que des chenilles
là où la merveille agile fait flèche et feu de tout bois

là où la nuit vigoureuse saigne une vitesse de purs végétaux

là où les abeilles des étoiles piquent le ciel d'une ruche
    plus ardente que la nuit
là où le bruit de mes talons remplit l'espace et lève
    à rebours la face du temps
là où l'arc-en-ciel de ma parole est chargé d'unir demain
    à l'espoir et l'infant[2] à la reine,

d'avoir injurié mes maîtres mordu les soldats du sultan
d'avoir gémi dans le désert
d'avoir crié vers mes gardiens
d'avoir supplié les chacals et les hyènes pasteurs
    de caravanes

je regarde
la fumée se précipite en cheval sauvage sur le devant de la
    scène ourle[3] un instant la lave de sa fragile queue de
    paon puis se déchirant la chemise s'ouvre d'un coup la

---

1. *Génuflexion* : action de fléchir le genou.
2. *Infant* : titre donné au fils cadet des familles royales d'Espagne et
de Portugal.
3. *Ourle* : fait un repli.

poitrine et je la regarde en îles britanniques en îlots en
rochers déchiquetés se fondre peu à peu dans la mer
lucide de l'air
où baignent prophétiques
ma gueule
      ma révolte
         mon nom.

Les Armes miraculeuses, 1946.

MAGIQUE

avec une lèche[1] de ciel sur un quignon de terre
vous bêtes qui sifflez sur le visage de cette morte
vous libres fougères parmi les roches assassines
à l'extrême de l'île parmi les conques[2] trop vastes
     pour leur destin
lorsque midi colle ses mauvais timbres sur les plis
     tempétueux de la louve
hors cadre de science nulle
et la bouche aux parois du nid suffète[3] des îles englouties
     comme un sou

avec une lèche de ciel sur un quignon de terre
prophète des îles oubliées comme un sou
sans sommeil sans veille sans doigt sans palancre[4]
quand la tornade passe rongeur du pain des cases

---

1. *Lèche* : tranche mince (terme familier).
2. *Conques* : coquilles coniques de certains mollusques marins.
3. *Suffète* : dans l'Antiquité, magistrat de Carthage.
4. *Palancre* : corde munie d'hameçons pour la pêche.

vous bêtes qui sifflez sur le visage de cette morte
la belle once de la luxure et la coquille operculée[1]
mol glissement des grains de l'été que nous fûmes
belles chairs à transpercer du trident des aras[2]
lorsque les étoiles chancelières[3] de cinq branches
trèfles au ciel comme des gouttes de lait chu
réajustent un dieu noir mal né de son tonnerre

Cadastre, 1961.

ODE À LA GUINÉE

Et par le soleil installant sous ma peau une usine de force
    et d'aigles
et par le vent sur ma force de dent de sel compliquant
    ses passes les mieux sues
et par le noir le long de mes muscles en douces insolences
    de sèves montant
et par la femme couchée comme une montagne descellée
    et sucée par les lianes
et par la femme au cadastre mal connu où le jour
    et la nuit jouent à la mourre[4] des eaux de source
    et des métaux rares

---

1. *Operculée :* munie d'un opercule (membrane de corne qui ferme
la coquille de certains mollusques).
2. *Aras :* grands perroquets d'Amazonie.
3. *Chancelières :* épouses des chanceliers, mais aussi sorte d'étui
formé pour maintenir les pieds au chaud.
4. *Mourre :* jeu consistant à compter rapidement le nombre de doigts
de la main levés par l'adversaire.

et par le feu de la femme où je cherche le chemin
    des fougères et du Fouta-Djallon[1]
et par la femme fermée sur la nostalgie s'ouvrant
                JE TE SALUE
Guinée dont les pluies fracassent du haut grumeleux
des volcans un sacrifice de vaches pour mille faims
et soifs d'enfants dénaturés
Guinée de ton cri de ta main de ta patience
il nous reste toujours des terres arbitraires
et quand tué vers Ophir[2] ils m'auront jamais muet
de mes dents de ma peau que l'on fasse
un fétiche féroce gardien du mauvais œil
comme m'ébranle ma frappe et me dévore ton solstice
en chacun de tes pas Guinée
muette en moi-même d'une profondeur astrale de méduses

Cadastre, 1961.

MONSTRES

je les reconnais
            l'odeur le souffle le rien
contact de mufles
                états d'âme
                    états-aoûtats[3]
ma terreur est de voir déboucher l'escouade des sans nom

---

1. *Fouta-Djallon* : massif montagneux de la Guinée. (Autre
orthographe : Fouta-Djalon.)
2. *Ophir* : pays fabuleux d'Orient où le roi Salomon envoyait ses
vaisseaux chercher de l'or.
3. *Aoûtats* : larves d'insectes provoquant de vives démangeaisons.

ceux-là travaillent dans le furtif le soir la soie
lapant souriant l'évidence d'une chaleur — leur proie

ou bien selon les besoins de leur saison grignotant le
coprah[1] non exangue, sifflant chaque goutte à travers
la paille de chaque seconde, coupant les muscles au
fil du silence,
le Monstre.

Il y a longtemps que j'ai dressé la carte de ses
subterfuges
mais il ne sait pas qu'au moment du répit
le sortant de ma poitrine j'en ferai un collier
de fleurs voraces
et je danse Monstre je danse
dans la résine des mots et paré d'exuvies[2]
nu

ma défense : gravés par la dent du sable sur le galet
— c'est mon cœur arraché des mains du séisme —
LE CHIFFRE

Moi, laminaire, 1982.

1. *Coprah :* amande de la noix de coco.
2. *Exuvies :* peaux abandonnées par les serpents après la mue.

Aimé Césaire

SOLEIL SERPENT

1. Montrez l'importance du rythme dans ce poème.

2. Justifiez le titre de ce texte.

3. À quoi tient la résonance mythique de ce poème ? Vous analyserez le mode d'expression des images, le lexique et la syntaxe pour argumenter votre réponse.

MAGIQUE

1. Quels effets produit la perturbation de la syntaxe ?

2. Montrez qu'Aimé Césaire choisit de décrire la réalité à travers des images de rêve.

3. Essayez d'analyser le rythme du poème ; dans quelle mesure vous donne-t-il une perception magique de l'univers ?

ODE À LA GUINÉE

1. Recherchez les éléments qui justifient le titre de ce poème. Montrez comment, à partir d'indications de type documentaire, l'auteur transforme la réalité pour faire de la Guinée un lieu mythique.

2. Relevez les images qui vous semblent le mieux correspondre à l'évocation de la terre ancestrale. Comment l'auteur se rattache-t-il à la terre des origines ?

ENSEMBLE DES TEXTES

1. Montrez que l'utilisation que fait Césaire du rythme est à la base d'un langage réinventé.

2. Étudiez les thèmes de la magie, du rituel et du mythe dans la poésie de Césaire.

3. « Surgie du vide intérieur, comme un volcan qui émerge du chaos primitif, [la poésie] est notre lien de force, la situation éminente d'où l'on somme ; magie, magie. » À la lecture de ces textes, vous commenterez cette citation de Césaire.

Jean-Pierre Duprey
(1930-1959)

Jean-Pierre Duprey
(document le Soleil noir).

Né à Rouen, Jean-Pierre Duprey arrive en 1948 à Paris, où il rencontre sa femme Jacqueline. Ensemble ils se livrent à une intense activité poétique. Duprey collabore à la revue *Marge* et attire en 1949 l'attention d'André Breton qui l'invite à se joindre avec Jacqueline au groupe reconstitué. Il cesse cependant d'écrire en 1951 pour se consacrer à la sculpture qu'il a apprise chez un forgeron puis chez un ferronnier. En 1959, il est écroué à la prison de Fresnes pour avoir uriné sur la flamme du Soldat inconnu. Il est ensuite interné à l'hôpital psychiatrique Sainte-Anne, à Paris. À sa sortie, il revient à l'écriture avec un cycle de poèmes qu'il demande, un jour, à sa femme d'envoyer à Breton. Quand Jacqueline revient de la poste, elle trouve son mari pendu à une poulie de l'atelier.

Œuvres essentielles : *Derrière son double,* 1950 ; *la Fin et la Manière* (publication posthume, 1965).

MOUVEMENT

Mouvement plié au corps de la vie
Dehors, la nuit neigée a l'étendue
Dedans, le mort qui n'attend plus
Qu'un seul battement d'aile
Dont l'endroit
Est encore ombre de l'envers.

Et cet endroit est cet envers
Passé à travers cet endroit.

Mouvement sans poids sur les mains
Dont le dos
S'applique aux vitres sans mesure.
Lentement, peinant de quatre membres d'air,
D'air engourdi,
Passé comme à la lenteur des murs,
Le mort appuie l'ouvert de sa tête.

La Fin et la Manière (publication posthume, 1965), D. R.

UN SAFRAN DE MARS

Le maître de l'Amour se maintient au carreau de lune.
Ses yeux, tirés du blanc, découvrent l'ombre de Ce-qui-n'est-
pas.
« Donnez-nous, disait-on, ce qui manque à l'étincelle
pour faire du bois, ce qui manque à la rivière pour mouler
une forêt en feu ! »

La machine de l'Amour battait la campagne, hâtait les saisons. L'échelle de son ombre dépassait l'horizon.

Il y eut un soleil et quelques allumettes perdus dans la boîte du vide...

Une étoile avec la chair de l'œuf.

Un grand rideau d'objets. Rien devant et tout APRÈS.

La Fin et la Manière (publication posthume, 1965), D. R.

1re NUIT

Quatre murs sont aussi sourds qu'un critère[1]
Et le cri est pouvoir à ceux qui se terrent.
Il est des toits comme une soie
Pour cacher un visage et des os ;
Dessus, le ciel mange ses oiseaux
Et chiffrera quand même zéro.

Une mémoire dans une tombe,
Un soir trouvera le poids
Qu'il fallait pour que le pont tombe
Et que la voix basse revienne
Au courant de la rivière
Qui boit les souffles et les mystères
Rêvés chaque nuit par le pêcheur de peines.

La Fin et la Manière (publication posthume, 1965), D. R.

---

1. *Critère* : base, principe d'un jugement.

SAVEUR D'HOMME

Donnez-moi de quoi changer les pierres,
De quoi me faire des yeux
Avec autre chose que ma chair
Et des os avec la couleur de l'air ;
Et changez l'air dont j'étouffe
En un soupir qui le respire
Et me porte ma valise
De porte en porte ;
Qu'à ce soupir je pense : sourire
Derrière une autre porte.

Détestable saveur d'homme.

En vérité, une main ne tremble
Que pour vieillir sa mémoire ;
L'autre ne vieillit que d'avoir
Trop bougé de vie depuis le temps
Où le monde l'a basculée
Dans l'histoire du temps et du moment,
Qui, sans jamais se ressembler,
Se retrouve à chaque instant
Dans le sac noirci de son éternité.

La Fin et la Manière (publication posthume, 1965), D. R.

RUINE

La ruine a manqué la maison
D'une pierre qui
N'est retombée dans le salon
Qu'après le cri.

La ruine a manqué le salon
Où s'entretient la famille défunte.
Les grands-parents prêchent le pardon
Pour la branche éteinte.

Et le cousin mort à Sainte-Anne[1]
Cherche son esprit sur un âne
Galopant par les champs d'avoine
Que sema la maladie feinte.

La Fin et la Manière (publication posthume, 1965), D. R.

JP Duprey

---

1. *Sainte-Anne :* grand hôpital psychiatrique, à Paris.

Jean-Pierre Duprey

MOUVEMENT

1. Montrez comment la structure du poème justifie le titre.

2. De quelle façon l'auteur joue-t-il du contraste des images ?

3. Quel est le thème du poème ? Comment l'auteur parvient-il à l'aide du rythme et des images, à nous en faire ressentir toute la gravité ?

SAVEUR D'HOMME

1. Quel sentiment est traduit par la progression du poème ?

2. Étudiez l'articulation des images, des termes et des sonorités. Vous serez particulièrement attentifs aux reprises de mots et de syllabes pour décrire la structure du poème.

3. De quelle(s) façon(s) peut-on justifier le titre ?

RUINE

1. Comment l'auteur parvient-il à exprimer un sentiment d'angoisse à l'intérieur du genre de la comptine ? Montrez que ce sentiment est associé à des impressions physiques.

2. Étudiez le rapport entre les phrases et les strophes. Quelle est la valeur expressive de la disposition en vers ?

ENSEMBLE DES TEXTES

1. Dans quelle mesure les images de Jean-Pierre Duprey donnent-elles une vision pessimiste de la vie ?

2. Quels éléments de la poétique traditionnelle le poète retient-il pour conférer à ses textes leur expressivité ?

3. Le poète et critique Alain Jouffroy écrit à propos de Jean-Pierre Duprey qu'il « a transgressé tout sentiment d'échec devant la mort. [...] Il rayonne comme l'univers lui-même et change la négativité de la mort en positivité. » En vous fondant sur des exemples précis, vous direz si ce jugement vous semble adéquat.

Couverture de F. Borès
pour le n° 5 de la revue *Minotaure,*
mai 1934. (Collection particulière.)

Les alentours du surréalisme

Textes édités
de 1911 à 1961

Léon-Paul Fargue
(1876-1947)

Léon-Paul Fargue,
« le Dernier Piéton de Paris ».
Dessin de Maurice Henry.

Né à Paris dans le quartier des Halles, où son père était céramiste, Léon-Paul Fargue mène dans sa jeunesse une vie de bohème et fréquente très tôt les « mardis » de Mallarmé (réunions hebdomadaires de poètes). Il y rencontre Paul Valéry et Henri de Régnier, qui deviennent ses amis. Habitué de Montmartre, il devient un incorrigible noctambule et, plus généralement, un « piéton de Paris », où il se promène inlassablement. Avec le poète et romancier Valery Larbaud, il voyage aussi à travers l'Europe. Il dirige longtemps la revue littéraire *Commerce*. Le Grand Prix de la Ville de Paris lui est décerné en 1947.

Œuvres essentielles : *Poèmes* (1912) ; *Pour la musique,* 1914 ; *Sous la lampe,* 1930 ; *le Piéton de Paris* (proses), 1939 ; *Haute Solitude,* 1941.

LA PORTE

Du fond de la ville, il était attiré par cette porte. Alors pourquoi n'allait-il pas plus souvent à elle ? Comment se fait-il ?... Enfin pendant des années, il y pensait, il y pensait souvent, du fond des maisons, boîtes d'oubli, du fond des quartiers, sous les nuages. Quand ira-t-il ? La porte du vieux logement, poussiéreuse dans les rainures tout en haut de l'escalier froid, qui souffle une odeur sèche, très ancienne, est-ce que tu n'as pas envie de la revoir, bien que dans ces étages il n'y ait plus rien pour toi... Oui, c'est entendu, tu y étais allé, mais il y a si longtemps. La dernière fois c'était le jour où tu avais pleuré dans la loge de la concierge avec la mère Jeanne. Une autre fois, c'était pour demander si l'appartement était loué, et si on pouvait le revoir. Et tu avais rêvé aussi que tu avais enfin trouvé le passage très secret qui menait aux cours dangereuses de la maison voisine...

... C'est la mère Jeanne, oh, c'est elle. Je la vois debout dans une chambre de la rue du Colisée[1], un peu bleue de côté parce que les rideaux étaient bleus. La mère Jeanne, elle m'a suivi jusqu'ici. C'est bien elle. Debout devant moi, avec son œil un peu de travers, son léger collier de moustache de paysanne et son air si bon. C'était il y a près de soixante ans. Et je voudrais tant pouvoir l'embrasser, par-delà le temps, par-delà l'espace taris...

Ces toits, ces cheminées, ces girouettes encore plaintives contre le ciel de la vieille rue et dans le fond de la rue, au bout de la rue ces cris oubliés, ces tintements d'une forge qui va s'endormir, ces mélodies bégayantes qui émergent

---

1. *Rue du Colisée :* rue de Paris, près des Champs-Élysées.

interdites du fond de soixante années. Et dans une chambre du cinquième un ancien petit garçon qui écoute.

Loin, loin, si loin, pensais-je. Et la musique était là qui mourait d'envie d'entrer.

Poèmes, 1912.

Aux longs traits du fer et des pierres. Aux lointains môles[1] et aux bras fins et bleus de l'air. Au pan de lumière gros de larmes où les deux amis de jadis repassent, de l'autre côté des buissons de brume, sur l'ancienne route où meurt la mer...

Que j'enfonce ici pour toujours ce cœur obscur que fut le nôtre, entre les canons du vieux port droits dans les quais de pierre lisse au front vert penché sur la mer...

Au fond d'une ruelle, la foule se voûte sur des cages sales où battent comme un cœur et s'éteignent des bêtes étranges et grelottantes...

Plus tard les rampes de gaz de la rue aux bouges[2] sourcilleront au vent du soir.

... Un ciel fêlé du lent défaut des trolleys[3] chanteurs, dans les quartiers neufs au souffle humide, à l'odeur crayeuse, où j'ai suivi pour une nuit de songe aux plumes de lune la traîne silencieuse de la mort où brillaient les yeux d'une femme...

---

1. *Môles* : sorte de digues.
2. *Bouges* : cafés sordides et mal fréquentés.
3. *Trolleys* : mot abrégé courant pour « trolleybus », véhicules de transport en commun mus par l'électricité.

L'homme à la cape rôde sous la fenêtre où glisse une lumière...

Dans le bassin royal, un yacht aux yeux verts attend l'idylle[1] contre l'hôtel noir.

Poèmes, 1912.

TONNELLES

Des sèves de vitrail éclairent le silence
Sous la tonnelle aux yeux verts où sourit Marie...
Passe sous l'arceau[2] vert...

Un bras de balançoire encense le silence
Avec un bout de robe qui monte et qui chante !
Ceux dont il est parlé causent des vieux dimanches
En l'honneur d'autrefois.

Les lueurs de ses mains reflètent le silence
Que strient
Sur la route, au-dehors, des cyclistes qui font
Un bruit de libellule — qui pointe et qui plie...

Sous l'arceau vert qui la rend pâle, elle sourit...

Mon cœur frappe à la porte
Dans l'ombre...
J'aime trop pour le dire...
Il passe dans mon verre,
Comme des ailes claires,
Ses gestes, son sourire...

Pour la musique, 1914.

---

1. *Idylle :* petit poème traditionnel à sujet amoureux mais aussi ébauche d'amour, amourette.
2. *Arceau :* partie d'une voûte, ici feuillage.

Samedi

Mon cher ami, je suis un triple extrait de quintessence de bourrin. Je vous ai invité à dîner naguère dans le passé mais espérant que la fortune me sourirait d'ici dimanche. Malheureusement il n'en est rien... Et je n'aurais guère à vous offrir que de l'orgeat et de la moutarde. Aussitôt que les pesons du coucou auront remonté, je vous ferai signe. Acceptez mes excuses et ne m'en veuillez pas trop. Affectueusement

Léon-Paul Fargue

Lettre autographe de Léon-Paul Fargue.
Bibliothèque nationale, Paris.

Léon-Paul Fargue

LA PORTE

1. En quoi consistent la poésie et le mystère de ce paysage urbain pourtant banal ?

2. Le dialogue du poète avec lui-même : comment la variation des pronoms personnels exprime-t-elle le travail de la mémoire ? Étudiez également le rôle du temps des verbes.

3. Sur quels souvenirs et sur quelles sensations la nostalgie se développe-t-elle ?

« AUX LONGS TRAITS DU FER ET DES PIERRES... »

1. Montrez la multiplicité et la richesse des sensations évoquées.

2. Comment ce poème suggère-t-il le mystère de la ville ?

3. Qualifiez l'atmosphère sentimentale qui se dégage de ce texte.

TONNELLES

1. Comment s'expriment la délicatesse et la réserve du sentiment amoureux à l'égard de la jeune fille ?

2. Montrez que le mélange des images aboutit à un ensemble de « correspondances », comme chez Baudelaire.

3. Quelle est la valeur expressive des sonorités (allitérations, assonances, etc.) et de la versification (rythme, inégalité des vers, etc.) ?

ENSEMBLE DES TEXTES

1. La musicalité de la poésie : par quels moyens différents la poésie se fait-elle musique chez Fargue, même dans les poèmes en prose ?

2. Les paysages de la ville : quelles en sont les composantes et d'où vient leur charme ?

Saint-John Perse
(1887-1975)

Saint-John Perse,
dessin d'André Marchand.

Né à la Guadeloupe, fils d'un avocat et descendant par sa mère d'une famille de planteurs et de marins, Alexis Saint-Léger prendra le pseudonyme de Saint-John Perse en publiant ses premiers poèmes. Il quitte la Guadeloupe après le tremblement de terre de 1897 et fait des études secondaires à Pau. Venu à Paris, il rencontre et fréquente Paul Claudel et André Gide. Il s'engage dans la carrière diplomatique. Après un séjour à Pékin, il revient à Paris et renonce provisoirement à la poésie pour travailler aux côtés d'Aristide Briand, ministre des Affaires étrangères. Il participe à la conférence de Munich en 1938 et s'embarque en 1940 pour les États-Unis, où il s'adonnera de nouveau à la poésie. Le prix Nobel de littérature lui est décerné en 1960.

Œuvres essentielles : *Éloges,* 1911 ; *Anabase,* 1924 ; *Exil,* 1944 ; *Amers,* 1957.

V

... Ô ! j'ai lieu de louer !
Mon front sous des mains jaunes,
    mon front, te souvient-il des nocturnes sueurs ?
    du minuit vain de fièvre et d'un goût de citerne ?
    et des fleurs d'aube bleue à danser
sur les criques du matin
    et de l'heure midi plus sonore qu'un moustique,
et des flèches lancées par la mer de couleurs... ?

    Ô j'ai lieu ! ô j'ai lieu de louer !
    Il y avait à quai de hauts navires à musique.
Il y avait des promontoires de campêche[2] ; des fruits de bois
qui éclataient... Mais qu'a-t-on fait des hauts navires à musique
qu'il y avait à quai ?
    Palmes... ! Alors
    une mer plus crédule et hantée d'invisibles départs,
    étagée comme un ciel au-dessus des vergers,
    se gorgeait de fruits d'or, de poissons violets
et d'oiseaux.
    Alors, des parfums plus affables, frayant
aux cimes les plus fastes,
    ébruitaient ce souffle d'un autre âge,
    et par le seul artifice du cannelier[3] au jardin
de mon père — ô feintes !

---

1. Ce poème appartient à une suite de 18 poèmes.
2. *Campêche* : bois d'Amérique tropicale.
3. *Cannelier* : arbre exotique qui fournit la cannelle.

glorieux d'écailles et d'armures un monde
trouble délirait.
(... Ô j'ai lieu de louer ! Ô fable généreuse, ô table
d'abondance !)

« Éloge I », *Éloges,* 1911.

CHANSON

*Il naissait un poulain sous les feuilles de bronze. Un homme
mit des baies amères dans nos mains. Étranger. Qui passait. Et
voici qu'il est bruit d'autres provinces à mon gré... « Je vous salue,
ma fille, sous le plus grand des arbres de l'année. »*

*

*Car le soleil entre au Lion[1] et l'Étranger a mis son doigt dans
la bouche des morts. Étranger. Qui riait. Et nous parle d'une herbe.
Ah ! tant de souffles aux provinces ! Qu'il est d'aisance dans nos
voies ! que la trompette m'est délice, et la plume savante au scandale
de l'aile !... « Mon âme, grande fille, vous aviez vos façons qui ne
sont pas les nôtres. »*

*

*Il naquit un poulain sous les feuilles de bronze. Un homme
mit ces baies amères dans nos mains. Étranger. Qui passait. Et voici
d'un grand bruit dans un arbre de bronze. Bitume et roses, don du
chant ! Tonnerre et flûtes dans les chambres ! Ah ! tant d'aisance
dans nos voies, ah ! tant d'histoires à l'année, et l'Étranger à ses
façons par les chemins de toute la terre !... « Je vous salue, ma fille,
sous la plus belle robe de l'année. »*

Anabase, 1924.

---

1. *Lion :* constellation boréale et signe du Zodiaque.

I

Et puis vinrent les neiges, les premières neiges de l'absence,
sur les grands lés[1] tissés du songe et du réel ; et toute peine remise
aux hommes de mémoire, il y eut une fraîcheur de linges à nos
tempes. Et ce fut au matin, sous le sel gris de l'aube, un peu avant
la sixième heure, comme en un havre de fortune[2], un lieu de grâce
et de merci[3] où licencier l'essaim des grandes odes du silence.

Et toute la nuit, à notre insu, sous ce haut fait de plume,
portant très haut vestige et charge d'âmes, les hautes villes de pierre
ponce forées d'insectes lumineux n'avaient cessé de croître et d'exceller,
dans l'oubli de leur poids. Et ceux-là seuls en surent quelque chose,
dont la mémoire est incertaine et le récit est aberrant. La part que
prit l'esprit à ces choses insignes[4], nous l'ignorons.

Nul n'a surpris, nul n'a connu, au plus haut front de
pierre, le premier affleurement de cette heure soyeuse, le premier
attouchement de cette chose fragile et très futile, comme un frôlement
de cils. Sur les revêtements de bronze et sur les élancements d'acier
chromé, sur les moellons[5] de sourde porcelaine et sur les tuiles de
gros verre, sur la fusée de marbre noir et sur l'éperon de métal blanc,
nul n'a surpris, nul n'a terni

cette buée d'un souffle à sa naissance, comme la première
transe d'une lame mise à nu... Il neigeait, et voici, nous en dirons
merveilles : l'aube muette dans sa plume, comme une grande chouette
fabuleuse en proie aux souffles de l'esprit, enflait son corps de dahlia

---

1. *Lés* : largeurs des pièces de tissu, entre les deux lisières.
2. *Havre de fortune* : port trouvé au hasard.
3. *Merci* : pardon, pitié.
4. *Insignes* : remarquables.
5. *Moellons* : petites pierres de construction.

blanc. Et de tous les côtés il nous était prodige et fête. Et le salut soit sur la face des terrasses, où l'Architecte, l'autre été, nous a montré des œufs d'engoulevent[1] !

Neiges, 1944.

Et vous, Mers, qui lisiez dans de plus vastes songes, nous laisserez-vous un soir aux rostres[2] de la Ville, parmi la pierre publique et les pampres[3] de bronze ?

Plus large, ô foule, notre audience sur ce versant d'un âge sans déclin : la Mer, immense et verte comme une aube à l'orient des hommes,

La Mer en fête sur ses marches comme une ode[4] de pierre : vigile[5] et fête à nos frontières, murmure et fête à hauteur d'hommes — la Mer elle-même notre veille, comme une promulgation divine...

L'odeur funèbre de la rose n'assiégera plus les grilles du tombeau ; l'heure vivante dans les palmes ne taira plus son âme d'étrangère... Amères, nos lèvres de vivants le furent-elles jamais ?

J'ai vu sourire aux feux du large la grande chose fériée : la Mer en fête de nos songes, comme une Pâque[6] d'herbe verte et comme fête que l'on fête,

---

1. *Engoulevent :* petit oiseau chasseur d'insectes.
2. *Rostres :* éperons de navires.
3. *Pampres :* rameaux de la vigne ; ici, motifs décoratifs.
4. *Ode :* poème lyrique, divisé en strophes, destiné à célébrer de grands événements ou de hauts personnages.
5. *Vigile :* gardienne.
6. *Pâque :* fête juive en mémoire de la sortie d'Égypte. Il existe une Pâque des roses qui désigne le jour de la Pentecôte.

Toute la Mer en fête des confins, sous sa fauconnerie[1] de nuées blanches, comme domaine de franchise et comme terre de mainmorte[2], comme province d'herbe folle et qui fut jouée aux dés...

Inonde, ô brise, ma naissance ! Et ma faveur s'en aille au cirque de plus vastes pupilles !... Les sagaies[3] de Midi vibrent aux portes de la joie. Les tambours du néant cèdent aux fifres de lumière. Et l'Océan, de toutes parts, foulant son poids de roses mortes,

Sur nos terrasses de calcium lève sa tête de Tétrarque[4] !

« Invocation I », *Amers*, 1957.

Des Villes hautes s'éclairaient sur tout leur front de mer, et par de grands ouvrages de pierre se baignaient dans les sels d'or du large.

Les Officiers de port siégeaient comme gens de frontière : conventions de péage, d'aiguade[5] ; travaux d'abornement[6] et règlements de transhumance.

On attendait les Plénipotentiaires de haute mer. Ha ! que l'alliance enfin nous fût offerte !... Et la foule se portait aux avancées d'escarpes[7] en eau vive,

Au bas des rampes coutumières, et jusqu'aux pointes

---

1. *Fauconnerie* : art de dresser les oiseaux de proie pour la chasse.
2. *Mainmorte* : domaine de franchise, appartenant à certaines personnes morales (communes, hospices), exempté de droits fiscaux.
3. *Sagaies* : javelots des peuples primitifs.
4. *Tétrarque* : gouverneur d'un pays morcelé en quatre parties (en particulier dans l'Empire romain antique).
5. *Aiguade* : lieu où les marins peuvent se ravitailler en eau douce.
6. *Abornement* : répartition des bornes délimitant un domaine.
7. *Escarpes* : talus d'un mur ou d'un fossé.

rocheuses, à ras mer, qui sont le glaive et l'éperon des grands concepts de pierre de l'épure[1].

Quel astre fourbe au bec de corne avait encore brouillé le chiffre, et renversé les signes sur la table des eaux ?

Aux bassins éclusés des Prêtres du Commerce, comme aux bacs avariés de l'alchimiste[2] et du foulon[3].

Un ciel pâle diluait l'oubli des seigles de la terre... Les oiseaux blancs souillaient l'arête des grands murs.

Strophe I, *Amers*, 1957.

Les Tragédiennes sont venues, descendant des carrières. Elles ont levé les bras en l'honneur de la Mer : « Ah ! nous avions mieux auguré[4] du pas de l'homme sur la pierre !

« Incorruptible Mer, et qui nous juge !... Ah ! nous avions trop présumé de l'homme sous le masque ! Et nous qui mimons l'homme parmi l'épice populaire[5], ne pouvions-nous garder mémoire de ce plus haut langage sur les grèves[6] ?

« Nos textes sont foulés aux portes de la Ville — porte du vin, porte du grain —. Les filles traînent au ruisseau nos larges perruques de crin noir, nos lourdes plumes avariées, et les chevaux s'empêtrent du sabot dans les grands masques de théâtre.

---

1. *Épure* : dessin réalisé pour la construction d'un bâtiment ou d'une machine.
2. *Alchimiste* : au Moyen Âge, chimiste à la recherche de la pierre philosophale permettant de transformer les métaux en or.
3. *Foulon* : ouvrier utilisant une sorte de presse pour la préparation du feutre.
4. *Auguré* : prévu, espéré ; dans l'Antiquité romaine, l'augure était un prêtre chargé d'interpréter les présages.
5. *Épice populaire* : au sens péjoratif, les hommes uniquement préoccupés de commerce et d'argent.
6. *Grèves* : plages.

« Ô Spectres, mesurez vos fronts de singes et d'iguanes à l'ove[1] immense de nos casques, comme au terrier des conques[2] la bête parasite... De vieilles lionnes au désert accablent les margelles de pierre de la scène. Et la sandale d'or des grands Tragiques luit dans les fosses d'urine de l'arène.

« Avec l'étoile patricienne[3] et les clefs vertes du Couchant. »

Strophe III, *Amers*, 1957.

Alexis Léger.

1. *Ove* : ornement en forme d'œuf.
2. *Conques* : grands coquillages coniques.
3. *Patricienne* : dans l'Antiquité romaine, de famille ancienne ; par extension, noble.

Saint-John Perse

« Ô ! J'AI LIEU DE LOUER !... »

1. Confrontez ce poème au titre du recueil, *Éloges*. Comment l'un peut-il justifier l'autre ?

2. Relevez les éléments descriptifs du paysage exotique. Comment l'auteur les utilise-t-il pour leur donner une force d'évocation particulière ?

3. Mettez en relation la naïveté des impressions d'enfant et la nostalgie éprouvée par le poète devenu adulte.

« ET VOUS, MERS... »

1. Comment se manifeste le caractère solennel, quasi religieux de cette invocation à la mer.

2. Dégagez l'arrière-plan légendaire et mythique de ce poème.

3. Il s'agit d'une prière, d'une action de grâces. Relevez les expressions qui en font essentiellement un hymne à la vie.

« DES VILLES HAUTES... »

1. Ce poème provoque un certain sentiment d'incertitude et d'inquiétude. À votre avis, pourquoi ? Justifiez votre réponse à l'aide d'exemples précis tirés du texte.

2. Caractérisez le vocabulaire utilisé par Saint-John Perse et dites comment il est mis en valeur (emploi des adjectifs, compléments de noms, majuscules, etc.).
Quelle est l'atmosphère ainsi suggérée ?

3. Essayez de définir le sens symbolique des rapports entre l'homme et la mer.

« LES TRAGÉDIENNES SONT VENUES... »

1. Étudiez les références au théâtre, et particulièrement au théâtre antique, contenues dans ce texte.

2. Comment la leçon de la nature est-elle opposée au comportement des hommes ?

3. La déclamation poétique : montrez que le rythme et la langue s'inspirent du style de la grande tragédie classique.

ENSEMBLE DES TEXTES

1. Étudiez le double exotisme du temps et de l'espace.

2. Comment l'éloge du monde par le poète doit-il inciter l'homme à la grandeur morale ?

Pierre Jean Jouve
(1887-1979)

Pierre Jean Jouve, dessin de Joseph Sima (1926), D. R.

Né à Arras, Pierre Jean Jouve fait ses études à Lille et à Poitiers puis s'installe à Paris en 1908. Il y fait la connaissance du poète et romancier Jules Romains. Après la rupture de son premier mariage, il se convertit au catholicisme, renie son œuvre poétique déjà publiée, mais reprend avec un autre esprit son activité créatrice. Il voyage en Autriche et en Italie, rencontre le poète Rainer Maria Rilke et le musicien Bruno Walter. Jouve écrit alors des textes sur la musique, notamment sur celle de Mozart. La persistance de ses aspirations spirituelles se manifeste dans ses derniers recueils poétiques. Il obtient le Grand Prix national des lettres en 1962.

Œuvres essentielles : *Paulina 1880* (roman), 1925 ; *Noces,* 1928 ; *Sueur de sang,* 1933 ; *Moires,* 1962.

Toi qui connais bien l'acte de pleurer
Engagé dans les confusions de la mentale douleur
« Vers le milieu du chemin de ta vie qui t'es trouvé
    dans la forêt obscure[1] »
Mon fils pourtant heureux
Je t'apporte la paix
La paix que ton âme insondée contient profondeur
    de la mer
Les calmes[2]
Que nulle obsession de mort n'a troublés
    ni même effleurés
Et les joies qui s'en vont vers les fin de toi-même
Là où ta louange est chantée
Et s'élèvent en paysages de vie et de chaleur
Avec moi ton Dieu qui parle à l'intérieur
    de chaque être
Je suis ta Parole Sainte ton Bonheur.

Noces, 1928.

Je t'aime
        il n'y a rien que j'aime
                            aucun plaisir
Il y a le Non que j'aime et dans la douceur ou profondeur
Mais le Non n'est-ce pas le Tout (fais une aurore
Sur ces mots aussi aveugles que des mains)

---

1. *« Vers le milieu ... obscure »* : référence au début de « l'Enfer »
dans *la Divine Comédie,* du poète italien Dante (1265-1321).
2. *Calmes :* nom pluriel désignant les zones équatoriales où les vents
sont très faibles ou nuls.

Car Tout étant et en dehors de Tout n'étant plus rien
Le Rien d'abord est à poursuivre.
                              Ô j'aime.

J'ÉTAIS EMPÊCHÉ PAR CES BRUITS et ces yeux
Ces mouvements des faces m'offensaient
J'étais puéril
J'ai fui, ce fut en vain
Terrible Époux on ne déplace pas ton magnétisme
On ne t'échappe pas, on ne te nomme pas.

JE PLEURE, JE NE PEUX PAS PARLER, j'ai peur de mentir
Ô tue-moi pour la méprisable cécité
Ce bruit de vie occupant la poitrine
Seigneur il faut mourir d'abord pour T'imaginer.

MON AMOUR EST-IL UNE INFIME LUEUR perdue de Ton Amour
Essence Noire, le monde a disparu
Tu sembles dormir satisfaction confuse
Et je suis arrivé, suis-je obéissant

« Avec humilité » disait le poète dément.

AYANT RENONCÉ AUX YEUX, nuit plus qu'obscure,
Aux mains ces vaines empoyées du monde
                    au cœur ce sang,
Et à la bouche coupure saignante de la beauté
Et aux mots qui n'ont plus la magie ni l'éternité.

L'arbre se sauve en laissant tomber ses feuilles.

SEUL, NU, en cœur, en vue...

Noces, 1928.

ROSÉE DE L'ORIGINE

Quand la rosée divine brille sur l'origine
Quand le jour, le bleu, le vert, l'éclair et l'espoir
Et le transparent sol,
La journée sur les Alpes
Le berceau de la mer,
Se reforment comme des biens purs et rieurs,
Ils proviennent par la droite ligne du matin
Directement de la bouche encore innocente de l'origine.

La rosée divine brillant sur l'origine, et les nuits
        sont belles
Plus grandes que jadis.
La lune en découvrant ses dormeurs fantastiques
Les montagnes des seins du sol avec les nations
Inclinées vers la mer, ou aux villes bâties
Un seul jardin prisonnier de monastère,
Mémoire ! La lune a découpé en noir
Funèbre des amoncellements de dessins classiques
De feuilles, de mélancolie et larme et aussi de gloire.

Mais les papillons, terribles dessous roses
Volent à minuit.
Mais les lacs de la sagesse qui se reposent
Mais les vents qui naissent
Avec fruit, soulevant parfois des masses d'arbres
Qui à l'image de la mort sont vertes ; les bienfaits
De tant d'amour
Céleste Auteur, ne me sont pas assez sensibles.

Le vent pourtant murmure
Avec un son rauque
Souffle, écoute on ne sait à quelle hauteur.

C'est la paternité divine pour l'homme levant la tête,
Elle caresse
Et menace les jours.

LE DÉLUGE N'EST PAS ENCOR VENU, les hommes fleurissent
De travers, leur péché n'est point mal à l'aise sous le ciel
Ils ont fructifié. Les promesses s'éloignent
Jusque sur les douceurs immuables de bleu.
Ils aiment. Partout. Lourde rumeur.
Les arbres sont debout pleins et gigantesques
Les milans[1] font la ronde et tous les rais[2] du jour
Autour d'eux et les rauques souffles sont
Du vent du nord, qui casse la bonté des chênes.

Le chant monte de l'herbe emplie par les élytres[3]
Que dévore la bouche absorbée par la gueule
Les plumages disparaissant sous les crocs blancs,
Et le sang reste là pour contenter la terre, et
Première fois
La mante religieuse a détaché la tête
De son époux qui sommeille,

                                        heureux temps
Où le glacier de l'air marche vers l'océan
Câlin, et par un souffle dur immobile et fort
Lui fait l'enfant qu'il désire.

Noces, 1928.

---

1. *Milans :* oiseaux de proie.
2. *Raies :* rayons.
3. *Élytres :* ailes supérieures de certains insectes.

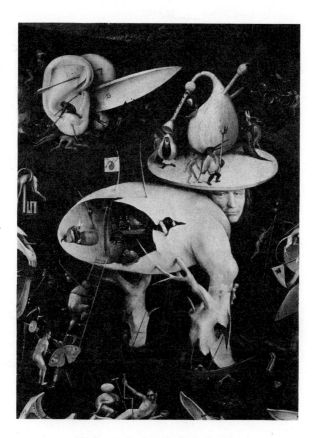

« L'Enfer », volet droit du *Jardin des délices,*
triptyque de Jérôme Bosch (v. 1450-1516).
Musée du Prado, Madrid.

BLANC

Le chemin blanc du val est le meilleur amour
On y tombe, vaincu de haine, son accent
Repart et circonvient[1] les prés de larmes
Et l'ancienne maison où les deux font l'amour.

Quel tremblement ! quel cri ! quelle ombre
Et le beau temps du monde en écartant les jambes
Se meut sur les sommets riants et laborieux
Avec ses traînées, vents soupirs et dieux.

Sueur de sang, 1933.

---

1. *Circonvient :* entoure et séduit.

Pierre Jean Jouve

« TOI QUI CONNAIS BIEN... »

1. Montrez que ce poème pourrait être la réponse à la prière d'un homme souffrant.

2. Étudiez les procédés de rythme qui contribuent à donner une sensation progressive d'apaisement.

3. D'après ce texte, quelles ressources spirituelles permettent au bonheur de triompher chez l'homme ?

« JE T'AIME... »

1. Selon quelles étapes successives ce texte relate-t-il une expérience du sacrifice et du dénuement ?

2. Relevez les images qui désignent le mensonge des apparences opposé à la vérité essentielle de la révélation religieuse.

3. Comment le « Tout » se dégage-t-il à partir du « Rien » dans l'argument de ce poème ?

ROSÉE DE L'ORIGINE

1. Quels éléments de la nature et quels aspects du monde sont ici rassemblés pour former un tableau de caractère cosmique ?

2. Dans quelle mesure ce tableau suscite-t-il chez le poète à la fois le bonheur et l'inquiétude ?

3. Comment cette évocation de la Création prépare-t-elle à reconnaître la paternité divine ?

ENSEMBLE DES TEXTES

1. Sensibilité et spiritualité. Quelles leçons de portée religieuse ce poète tire-t-il de l'observation et de l'évocation de la nature ?

2. Comment Pierre Jean Jouve prétend-il faire de son expérience mystique personnelle l'expression de la condition humaine ?

3. Dans quelle mesure l'exemple de Jouve montre-t-il la possibilité de mettre la poésie au service du sentiment religieux ?

Jules Supervielle
(1884-1960)

Jules Supervielle est né à Montevideo, en Uruguay, ses parents s'étant expatriés pour y fonder une banque. L'enfant devient très tôt orphelin. Il vit en Amérique du Sud jusqu'à neuf ans, avant de venir suivre ses études secondaires à Paris. En 1900 paraît son premier recueil de poèmes. Jules Supervielle se marie en 1907 en Uruguay, puis revient s'installer à Paris. Il devient l'ami d'Henri Michaux. Périodiquement, il retourne en Uruguay où il reste pendant la Seconde Guerre mondiale tout en écrivant pour des revues de la France libre. Ce n'est qu'après 1945 qu'il reviendra vivre de nouveau en France.

Jules Supervielle, dessin de Jean de Boschere (1935).

Œuvres essentielles : *Débarcadères*, 1922 ; *Gravitations*, 1925 ; *le Forçat innocent*, 1930 ; *l'Enfant de la haute mer* (conte), 1931 ; *Oublieuse Mémoire*, 1949.

SAN BERNARDINO

Que j'enferme en ma mémoire,
Ma mémoire et mon amour,
Le parfum féminin des courbes colonies,
Cet enfant nu-fleuri dans la mantille noire
De sa mère passant sous la conque[1] du jour,
Ces plantes à l'envi[2], et ces feuilles qui plient,
Ces verts mouvants, ces rouges frais,
Ces oiseaux inespérés,
Et ces houles d'harmonies,
J'en aurai besoin un jour.

J'aurai besoin de vous, souvenirs que je veux
Modelés dans le lisse honneur des ciels heureux,
Vous me visiterez, secourables audaces,
Azur vivace d'un espace
Où chaque arbre se hausse au dénouement des palmes
À la recherche de son âme,
Où la fleur mouille en l'infini
De la couleur et du parfum qu'elle a choisis,
Où je suis arrivé plein d'Europe et d'escales
Ayant toujours appareillé,
Et, sous le chuchotis de ces heures égales,
Du fard des jours errants je me suis dépouillé.

Débarcadères, 1922.

---

1. *Conque :* coquillage de forme conique.
2. *À l'envi :* à qui mieux mieux.

MARSEILLE

Marseille sortie de la mer, avec ses poissons de roche,
    ses coquillages et l'iode,
Et ses mâts en pleine ville qui disputent les passants,
Ses tramways avec leurs pattes de crustacés sont
    luisants d'eau marine,
Le beau rendez-vous de vivants qui lèvent le bras
    comme pour se partager le ciel,
Et les cafés enfantent sur le trottoir hommes et femmes
    de maintenant avec leurs yeux de phosphore[1],
Leurs verres, leurs tasses, leurs seaux à glace
    et leurs alcools,
Et cela fait un bruit de pieds et de chaises frétillantes.
Ici le soleil pense tout haut, c'est une grande lumière
    qui se mêle à la conversation,
Et réjouit la gorge des femmes comme celle
    des torrents dans la montagne,
Il prend les nouveaux venus à partie, les bouscule
    un peu dans la rue,
Et les pousse sans un mot du côté des jolies filles.
Et la lune est un singe échappé au baluchon d'un marin
Qui vous regarde à travers les barreaux légers de la nuit.
Marseille, écoute-moi, je t'en prie, sois attentive,
Je voudrais te prendre dans un coin, te parler avec douceur,
Reste donc un peu tranquille que nous nous
    regardions un peu
Ô toi toujours en partance
Et qui ne peux t'en aller,
À cause de toutes ces ancres qui te mordillent sous la mer.

                      1927.

            Débarcadères, édition augmentée, 1927.

---

1. *Phosphore :* substance lumineuse dans l'obscurité.

LE SURVIVANT

À Alfonso Reyes[1]

Lorsque le noyé se réveille au fond des mers
    et que son cœur
Se met à battre comme le feuillage du tremble[2]
Il voit approcher de lui un cavalier qui marche l'amble[3]
Et qui respire à l'aise et lui fait signe de ne pas avoir peur.
Il lui frôle le visage d'une touffe de fleurs jaunes
Et se coupe devant lui une main sans qu'il y ait
    une goutte de rouge.
La main est tombée dans le sable où elle fond
    sans un soupir
Une autre main toute pareille a pris sa place
    et les doigts bougent.

Et le noyé s'étonne de pouvoir monter à cheval,
De tourner la tête à droite et à gauche comme
    s'il était au pays natal,
Et la permission d'allonger la main pour cueillir
    un fruit de l'été.

Est-ce donc la mort cela, cette rôdeuse douceur
Qui s'en retourne vers nous par une obscure faveur ?
Et serais-je ce noyé chevauchant parmi les algues
Qui voit comme se reforme le ciel tourmenté de fables.

Je tâte mon corps mouillé comme un témoignage faible
Et ma monture hennit pour m'assurer que c'est elle.

---

1. *Alfonso Reyes :* écrivain et diplomate mexicain (1889 - 1959).
2. *Tremble :* sorte de peuplier.
3. *Amble :* allure d'un cheval qui se déplace en levant en même temps les deux jambes du même côté du corps.

Un berceau bouge, l'on voit un pied d'enfant réveillé.
Je m'en vais sous un soleil qui semble frais inventé.

Alentour il est des gens qui me regardent à peine,
Visages comme sur terre, mais l'eau a lavé leurs peines.

Et voici venir à moi des paisibles environs
Les bêtes de mon enfance et de la Création

Et le tigre me voit tigre, le serpent me voit serpent,
Chacun reconnaît en moi son frère, son revenant.

Et l'abeille me fait signe de m'envoler avec elle
Et le lièvre qu'il connaît un gîte au creux de la terre

Où l'on ne peut pas mourir.

Gravitations, 1925.

LES MAINS PHOTOGRAPHIÉES

On les faisait pénétrer au monde des surfaces lisses
Où même des montagnes rocheuses sont douces, faciles
    au toucher,
On les traitait comme un visage pour la première fois
    de leur vie,
Elles se sentaient un front vague
Et les symptômes premiers d'une naissante physionomie.
De très loin venait la mémoire aborder ces rivages vierges
Avec le calme d'une houle qui mit longtemps à se former.
Les connaissances du cerveau parvenaient enfin
      jusqu'au pouce.
Pour la première fois de sa vie
Le pouce légèrement acquiesçait dans son domaine

Et pendant que dura la pose
Les mains donnèrent leur nom au soleil, à la belle
      journée.
Elles appelèrent « tremblement » cette légère hésitation
Qui leur venait du cœur humain à l'autre bout
      des veines chaudes,
Elles comprirent que la vie est chose passante et fragile,
Même pour des mains qui longtemps
      se désintéressèrent du reste.
Puis elles ne connurent rien de ce qu'elles avaient deviné
Durant ce court entretien avec des forces lumineuses.
Le moment était arrivé où l'on ne pouvait même plus,
Sans mentir, les dire oublieuses.

Les Amis inconnus, 1934.

L'AUBE DANS LA CHAMBRE

Le petit jour vient toucher une tête en son sommeil
Il glisse sur l'os frontal
Et s'assure que c'est bien le même homme que la veille.
À pas de loup, les couleurs pénètrent par la croisée
Avec leur longue habitude de ne pas faire de bruit.
La blanche vient de Timor[1] et toucha la Palestine
Et voilà que sur le lit elle s'incline et s'étale
Et cette autre avec regret se sépara de la Chine,
La voici sur le miroir

---

1. *Timor :* île d'Indonésie.

Lui donnant sa profondeur
Rien qu'en s'approchant de lui.
Une autre va vers l'armoire et la frotte un peu de jaune,
Celle-ci repeint de noir
La condition de l'homme
Qui repose dans son lit.
Alors l'âme qui le sait,
Mère inquiète toujours près de ce corps qui s'allonge :
« Le malheur n'est pas sur nous
Puisque le corps de mes jours
Dans la pénombre respire.
Il n'est plus grande douleur
Que ne pas pouvoir souffrir
Et que l'âme soit sans gîte
Devant des portes fermées.
Un jour je serai privée de ce grand corps près de moi ;
J'aime bien à deviner ses formes dessous les draps,
Mon ami le sang qui coule dans son delta malaisé,
Et cette main qui parfois
Bouge un peu sous quelque songe
Qui ne laissera de trace
Dans le corps ni dans son âme.
Mais il dort, ne pensons pas pour ne pas le réveiller,
Ce n'est pas bien difficile
Il suffit de s'appliquer,
Qu'on ne m'entende pas plus que le feuillage qui pousse
Ni la rose de verdure ».

Les Amis inconnus, 1934.

Jules Supervielle

Jules Supervielle

SAN BERNARDINO

1. Relevez les éléments d'exotisme qui font le pittoresque de ce paysage.

2. Montrez que cette évocation, loin d'être purement descriptive, est pleine de résonances affectives et morales.

3. Comment le poète surmonte-t-il son sentiment d'exil ?

LE SURVIVANT

1. Relevez les éléments qui contribuent à donner au « survivant » un sentiment d'éternelle familiarité avec le monde.

2. Comment Supervielle allie-t-il les images du milieu aquatique et du milieu terrestre pour donner l'impression d'une harmonie du monde ?

3. Comment l'écriture du poème (rythme et versification) ajoute-t-elle à l'impression de paix retrouvée ?

L'AUBE DANS LA CHAMBRE

1. Comment l'auteur traduit-il les jeux de lumière qui donnent avec chaque aube l'impression d'une renaissance ?

2. De quelle(s) façon(s) le mouvement préparatoire à l'éveil est-il, en même temps, exprimé par le langage et manifesté par le rythme de la versification ?

3. Dans quelle mesure ce poème exprime-t-il à la fois l'union de l'âme et du corps, et la prémonition de la mort qui les séparera ?

ENSEMBLE DES TEXTES

1. Comment se réalise l'alliance de la simplicité et du mystère chez Supervielle ?

2. Montrez que l'évocation des paysages lointains et l'expression du sentiment de l'exil permettent au poète de suggérer l'incertitude de sa place dans le monde.

3. Comment le rapport de l'homme et de la nature est-il conçu et formulé pour aboutir à une leçon de sagesse et de sérénité ?

Henri Michaux
(1899-1984)

Henri Michaux,
photographie de Gisèle Freund.

Né à Namur, en Belgique, dans une famille de lointaine ascendance espagnole, Henri Michaux fait ses études chez les jésuites à Bruxelles. Après une adolescence difficile (il est anorexique), il renonce à préparer une carrière de médecin et embarque comme matelot à Boulogne-sur-Mer en 1920. À son retour, en 1921, il se rend à Paris, où il est accueilli par Supervielle. Après la mort de ses parents, il recommence à voyager, « pour expulser de lui sa patrie », en Turquie, en Italie, en Afrique du Nord et en Asie. Entre ses voyages, il publie de nombreux recueils de poésie et s'intéresse de plus en plus aux recherches graphiques. À la fin de sa vie, il se consacre surtout à la peinture.

Œuvres essentielles : *Qui je fus,* 1927 ; *Ecuador,* 1929 ; *Plume,* 1938 ; *Misérable Miracle,* 1956.

MAIS TOI, QUAND VIENDRAS-TU ?

Mais Toi, quand viendras-tu ?
Un jour, étendant Ta main
sur le quartier où j'habite,
au moment mûr où je désespère vraiment ;
dans une seconde de tonnerre,
m'arrachant avec terreur et souveraineté
de mon corps et du corps croûteux
de mes pensées-images, ridicule univers ;
lâchant en moi ton épouvantable sonde,
l'effroyable fraiseuse de Ta présence,
élevant en un instant sur ma diarrhée
Ta droite et insurmontable cathédrale ;
me projetant non comme homme
mais comme obus dans la voie verticale,
TU VIENDRAS.

Tu viendras, si tu existes,
appâté par mon gâchis,
mon odieuse autonomie ;
sortant de l'Ether, de n'importe où, de dessous
      mon moi bouleversé, peut-être ;
jetant mon allumette dans Ta démesure,
et adieu, Michaux.

Ou bien, quoi ?
Jamais ? Non ?
Dis, Gros lot, où veux-tu donc tomber ?

Lointain intérieur, 1938.

LA NATURE, FIDÈLE À L'HOMME

Non, il est sans exemple qu'éclairée par un grand feu de bois l'obscurité tarde à s'en aller, ne s'en aille que nonchalamment et comme à contrecœur. C'est sur des points pareils que l'esprit humain assoit sa sécurité et non sur la notion du bien ou du mal.

Non seulement l'eau est toujours prête à bouillir, et n'attend que d'être chauffée, mais l'océan lui-même, au comble de sa fureur, n'a de forme que celle de son lit qu'un continent affaissé l'oblige d'occuper. Le reste est égratignures du vent.

Par cette soumission, l'eau plaît aux faibles, les étangs, les lacs leur plaisent. Ils y perdent leur sentiment d'infériorité. Ils peuvent enfin respirer. Ces grandes étendues de faiblesse leur montent à la tête en orgueil et triomphe soudain.

Qu'ils s'en gargarisent bien, car une fille moqueuse et un père sceptique, en moins de ça, les culbuteront de cette plate-forme inouïe, où ils s'imaginaient régner à tout jamais.

Lointain intérieur, 1938.

LE BOURREAU

Vu la faiblesse de mon bras, je n'eusse jamais pu être bourreau. Aucun cou, je ne l'eusse tranché proprement, ni même d'aucune façon. L'arme, dans mes mains, eût buté non seulement sur l'obstacle impérial de l'os, mais encore sur les muscles de la région du cou de ces hommes entraînés à l'effort, à la résistance.

Un jour, cependant, se présenta pour mourir un condamné

au cou si blanc, si frêle qu'on se rappela ma candidature au poste de bourreau ; on conduisit le condamné près de ma porte et on me l'offrit à tuer.

Comme son cou était oblong[1] et délicat, il eût pu être tranché comme une tartine. Je ne manquai pas de m'en rendre compte aussitôt, c'était vraiment tentant. Toutefois, je refusai poliment, tout en remerciant vivement.

Presque aussitôt après, je regrettai mon refus ; mais il était trop tard, déjà le bourreau ordinaire lui tranchait la tête. Il la lui trancha communément, ainsi que n'importe quelle tête, suivant l'usage qu'il avait des têtes, inintéressé, sans même voir la différence.

Alors je regrettai, j'eus du dépit et me fis des reproches d'avoir, comme j'avais fait, refusé vite, nerveusement et presque sans m'en rendre compte.

Lointain intérieur, 1938.

LE GRAND VIOLON

Mon violon est un grand violon-girafe ;
j'en joue à l'escalade,
bondissant dans ses râles,
au galop sur ses cordes sensibles et son ventre
    affamé aux désirs épais,
que personne jamais ne satisfera,
sur son grand cœur de bois enchagriné,

---

1. *Oblong :* de forme allongée.

que personne jamais ne comprendra.
Mon violon-girafe, par nature a la plainte basse
    et importante, façon tunnel,
l'air accablé et bondé de soi, comme l'ont
    les gros poissons gloutons des hautes profondeurs,
mais avec, au bout, un air de tête et d'espoir
    quand même,
d'envolée, de flèche, qui ne cédera jamais.
Rageur, m'engouffrant dans ses plaintes,
    dans un amas de tonnerres nasillards,
j'en emporte comme par surprise
tout à coup de tels accents de panique ou de bébé
    blessé, perçants, déchirants,
que moi-même, ensuite, je me retourne sur lui,
    inquiet, pris de remords, de désespoir,
et de je ne sais quoi, qui nous unit, tragique,
    et nous sépare.

Lointain intérieur, 1938.

DANS LA NUIT

Dans la nuit
Dans la nuit
Je me suis uni à la nuit
À la nuit sans limites
À la nuit.

Mienne, belle, mienne.

Nuit
Nuit de naissance

176

Qui m'emplit de mon cri
De mes épis.
Toi qui m'envahis
Qui fais houle houle
Qui fais houle tout autour
Et fumes, es fort dense
Et mugis
Es la nuit.
Nuit qui gît, nuit implacable.
Et sa fanfare, et sa plage
Sa plage en haut, sa plage partout,
Sa plage boit, son poids est roi, et tout ploie
    sous lui
Sous lui, sous plus ténu qu'un fil
Sous la nuit
La Nuit.

Lointain intérieur, 1938.

UN HOMME PAISIBLE

Étendant les mains hors du lit, Plume[1] fut étonné de ne pas rencontrer le mur. « Tiens, pensa-t-il, les fourmis l'auront mangé... » et il se rendormit.

Peu après, sa femme l'attrapa et le secoua : « Regarde, dit-elle, fainéant ! Pendant que tu étais occupé à dormir, on nous

---

1. *Plume :* nom du personnage créé par Michaux, qui insiste ainsi sur sa fragilité.

a volé notre maison. » En effet, un ciel intact s'étendait de tous côtés. « Bah, la chose est faite », pensa-t-il.

Peu après, un bruit se fit entendre. C'était un train qui arrivait sur eux à toute allure. « De l'air pressé qu'il a, pensa-t-il, il arrivera sûrement avant nous » et il se rendormit.

Ensuite, le froid le réveilla. Il était tout trempé de sang. Quelques morceaux de sa femme gisaient près de lui. « Avec le sang, pensa-t-il, surgissent toujours quantité de désagréments ; si ce train pouvait n'être pas passé, j'en serais fort heureux. Mais puisqu'il est déjà passé... » et il se rendormit.

— Voyons, disait le juge, comment expliquez-vous que votre femme se soit blessée au point qu'on l'ait trouvée partagée en huit morceaux, sans que vous, qui étiez à côté, ayez pu faire un geste pour l'en empêcher, sans même vous en être aperçu. Voilà le mystère. Toute l'affaire est là-dedans.

— Sur ce chemin, je ne peux pas l'aider, pensa Plume, et il se rendormit.

— L'exécution aura lieu demain. Accusé, avez-vous quelque chose à ajouter ?

— Excusez-moi, dit-il, je n'ai pas suivi l'affaire. Et il se rendormit.

Plume, 1938.

PLUME AU RESTAURANT

Plume déjeunait au restaurant, quand le maître d'hôtel s'approcha, le regarda sévèrement et lui dit d'une voix basse et mystérieuse : « Ce que vous avez là dans votre assiette ne figure *pas* sur la carte. »

Plume s'excusa aussitôt.

— Voilà, dit-il, étant pressé, je n'ai pas pris la peine de consulter la carte. J'ai demandé à tout hasard une côtelette, pensant que peut-être il y en avait, ou que sinon on en trouverait aisément dans le voisinage, mais prêt à demander tout autre chose si les côtelettes faisaient défaut. Le garçon, sans se montrer particulièrement étonné, s'éloigna et me l'apporta peu après et voilà...

Naturellement, je la paierai le prix qu'il faudra. C'est un beau morceau, je ne le nie pas. Je le paierai son prix sans hésiter. Si j'avais su, j'aurais volontiers choisi une autre viande ou simplement un œuf, de toute façon maintenant je n'ai plus très faim. Je vais vous régler immédiatement.

Cependant, le maître d'hôtel ne bouge pas. Plume se trouve atrocement gêné. Après quelque temps relevant les yeux... hum ! c'est maintenant le chef de l'établissement qui se trouve devant lui.

Plume s'excusa aussitôt.

— J'ignorais, dit-il, que les côtelettes ne figuraient pas sur la carte. Je ne l'ai pas regardée, parce que j'ai la vue fort basse, et que je n'avais pas mon pince-nez[1] sur moi, et puis, lire me fait toujours un mal atroce. J'ai demandé la première chose qui m'est venue à l'esprit, et plutôt pour amorcer d'autres propositions que par goût personnel. Le garçon sans doute préoccupé n'a pas cherché plus loin, il m'a apporté ça, et moi-même d'ailleurs tout à fait distrait je me suis mis à manger, enfin... je vais vous payer à vous-même puisque vous êtes là.

Cependant, le chef de l'établissement ne bouge pas. Plume se sent de plus en plus gêné. Comme il lui tend un billet, il voit tout à coup la manche d'un uniforme ; c'était un agent de police qui était devant lui.

---

1. *Pince-nez* : binocle (lunettes) tenu sur le nez par un ressort.

Plume s'excusa aussitôt.

— Voilà, il était entré là pour se reposer un peu. Tout à coup, on lui crie à brûle-pourpoint : « Et pour Monsieur ? Ce sera... ? » — « Oh... un bock », dit-il. « Et après ?... » cria le garçon fâché ; alors plutôt pour s'en débarrasser que pour autre chose : « Eh bien, une côtelette ! »

Il n'y songeait déjà plus, quand on la lui apporta dans une assiette ; alors, ma foi, comme c'était là devant lui...

— Écoutez, si vous vouliez essayer d'arranger cette affaire, vous seriez bien gentil. Voici pour vous.

Et il lui tend un billet de cent francs. Ayant entendu des pas s'éloigner, il se croyait déjà libre. Mais c'est maintenant le commissaire de police qui se trouve devant lui.

Plume s'excusa aussitôt.

— Il avait pris un rendez-vous avec un ami. Il l'avait vainement cherché toute la matinée. Alors comme il savait que son ami en revenant du bureau passait par cette rue, il était entré ici, avait pris une table près de la fenêtre et comme d'autre part l'attente pouvait être longue et qu'il ne voulait pas avoir l'air de reculer devant la dépense, il avait commandé une côtelette ; pour avoir quelque chose devant lui. Pas un instant il ne songeait à consommer. Mais l'ayant devant lui, machinalement, sans se rendre compte le moins du monde de ce qu'il faisait, il s'était mis à manger.

Il faut savoir que pour rien au monde il n'irait au restaurant. Il ne déjeune que chez lui. C'est un principe. Il s'agit ici d'une pure distraction, comme il peut en arriver à tout homme énervé, une inconscience passagère ; rien d'autre.

Mais le commissaire, ayant appelé au téléphone le chef de la sûreté : « Allons, dit-il à Plume en lui tendant l'appareil. Expliquez-vous une bonne fois. C'est votre seule chance de salut. » Et un agent le poussant brutalement lui dit : « Il s'agira maintenant de marcher droit, hein ? » Et comme les pompiers faisaient leur entrée dans le restaurant, le chef de l'établissement lui dit : « Voyez quelle perte pour mon établissement. Une vraie catastrophe ! » Et il montrait la salle que tous les consommateurs avaient quittée en hâte.

Ceux de la Secrète lui disaient : « Ça va chauffer, nous vous prévenons. Il vaudra mieux confesser toute la vérité. Ce n'est pas notre première affaire, croyez-le. Quand ça commence à prendre cette tournure, c'est que c'est grave. »

Cependant, un grand rustre d'agent par-dessus son épaule lui disait : « Écoutez, je n'y peux rien. C'est l'ordre. Si vous ne parlez pas dans l'appareil, je cogne. C'est entendu ? Avouez ! Vous êtes prévenu. Si je ne vous entends pas, je cogne. »

Plume, 1938.

Henri Michaux

LA NATURE, FIDÈLE À L'HOMME

1. Quel usage Michaux fait-il ici de l'image traditionnelle de la nature ?

2. En quoi consiste le paradoxe moral développé dans ce poème ? Montrez que les traits d'humour, loin d'amoindrir la force de ce paradoxe, lui donnent une valeur supplémentaire. (Vous citerez des exemples précis à l'appui de votre propos.)

LE BOURREAU

1. Comment l'absence apparente de conscience morale fait-elle ressortir l'humour noir de ce texte ?

2. Étudiez le caractère recherché du style. Relevez les traits d'académisme, voire de pédantisme, et justifiez leur emploi dans le texte.

3. Pour quelle(s) raison(s) ce poème peut-il être considéré comme une fable (voir p. 248) ?

LE GRAND VIOLON

1. Relevez les éléments de personnification (voir p. 249) du violon avec leurs caractères à la fois musicaux et psychologiques. Peut-on qualifier de burlesque (voir p. 247) ce procédé de personnification ? Justifiez votre réponse.

2. Cette mise en relation de l'instrument de musique et de l'homme peut-elle symboliser le rapport de celui-ci avec l'existence ? Pourquoi ?

PLUME AU RESTAURANT

1. Comment le sentiment de culpabilité de Plume s'exprime-t-il tout au long de ce texte ?

2. Pourquoi, à votre avis, Michaux a-t-il choisi de décrire une situation de la vie quotidienne pour illustrer l'angoisse de l'existence ?

ENSEMBLE DES TEXTES

1. Quelles situations, quelles expériences, quelles sensations sont génératrices d'angoisse, pour Michaux ?

2. Comment l'auteur donne-t-il à la prose un caractère poétique ?

3. Comment sa pratique de l'humour aboutit-elle souvent au burlesque ?

Francis Ponge
(1899-1988)

Francis Ponge en 1954.

Né à Montpellier, Francis Ponge passe son enfance en Avignon, puis à Caen, où son père est nommé directeur d'agence bancaire. Il fait d'abord ses études au lycée Malherbe à Caen, puis à Paris au lycée Louis-le-Grand. Il publie ses premiers textes poétiques après la Première Guerre mondiale dans la *Nouvelle Revue française,* puis il se rapproche du groupe surréaliste et sympathise avec Eluard. Employé aux Messageries Hachette, où il gagne difficilement sa vie et trouve peu de temps pour écrire, il est licencié du fait de son adhésion au parti communiste. Ponge participe à la Résistance dans la région de Lyon. Il quitte le parti communiste en 1947. Reconnu à la fin de sa vie comme un grand poète, il est invité aux États-Unis pour des tournées de conférences.

Œuvres essentielles : *le Parti pris des choses* 1942 ; *Proèmes,* 1948 ; *Pièces,* 1961 ; *la Rage de l'expression,* 1965 ; *le Savon,* 1967.

LE PAPILLON

Lorsque le sucre élaboré dans les tiges surgit au fond des fleurs, comme des tasses mal lavées, — un grand effort se produit par terre d'où les papillons tout à coup prennent leur vol.

Mais comme chaque chenille eut la tête aveuglée et laissée noire, et le torse amaigri par la véritable explosion d'où les ailes symétriques flambèrent.

Dès lors le papillon erratique[1] ne se pose plus qu'au hasard de sa course, ou tout comme.

Allumette volante, sa flamme n'est pas contagieuse. Et d'ailleurs, il arrive trop tard et ne peut que constater les fleurs écloses. N'importe : se conduisant en lampiste[2], il vérifie la provision d'huile de chacune. Il pose au sommet des fleurs la guenille atrophiée qu'il emporte et venge ainsi sa longue humiliation amorphe de chenille au pied des tiges.

Minuscule voilier des airs maltraité par le vent en pétale superfétatoire[3], il vagabonde au jardin.

Le Parti pris des choses, 1942.

---

1. *Erratique :* en parlant d'un animal, qui n'a pas d'habitat fixe.
2. *Lampiste :* employé chargé de l'entretien des lampes (dans les chemins de fer) ; par extension, employé subalterne, sans responsabilité.
3. *Superfétatoire :* superflu.

L'HUÎTRE

L'huître, de la grosseur d'un galet moyen, est d'une apparence plus rugueuse, d'une couleur moins unie, brillamment blanchâtre. C'est un monde opiniâtrement clos. Pourtant on peut l'ouvrir : il faut alors la tenir au creux d'un torchon, se servir d'un couteau ébréché et peu franc, s'y reprendre à plusieurs fois. Les doigts curieux s'y coupent, s'y cassent les ongles : c'est un travail grossier. Les coups qu'on lui porte marquent son enveloppe de ronds blancs, d'une sorte de halos.

À l'intérieur l'on trouve tout un monde, à boire et à manger : sous un *firmament*[1] (à proprement parler) de nacre, les cieux d'en dessus s'affaissent sur les cieux d'en dessous, pour ne plus former qu'une mare, un sachet visqueux et verdâtre, qui flue et reflue à l'odeur et à la vue, frangé d'une dentelle noirâtre sur les bords.

Parfois très rare une formule perle à leur gosier de nacre, d'où l'on trouve aussitôt à s'orner.

Le Parti pris des choses, 1942.

---

1. *Firmament :* voûte céleste (mot issu du verbe latin *firmare,* rendre solide).

PLUIE

La pluie, dans la cour où je la regarde tomber, descend à des allures très diverses. Au centre c'est un fin rideau (ou réseau) discontinu, une chute implacable mais relativement lente de gouttes probablement assez légères, une précipitation sempiternelle sans vigueur, une fraction intense du météore[1] pur. À peu de distance des murs de droite et de gauche tombent avec plus de bruit des gouttes plus lourdes, individuées[2]. Ici elles semblent de la grosseur d'un grain de blé, là d'un pois, ailleurs presque d'une bille. Sur des tringles, sur les accoudoirs de la fenêtre la pluie court horizontalement tandis que sur la face inférieure des mêmes obstacles elle se suspend en berlingots convexes. Selon la surface entière d'un petit toit de zinc que le regard surplombe elle ruisselle en nappe très mince, moirée à cause de courants très variés par les imperceptibles ondulations et bosses de la couverture. De la gouttière attenante où elle coule avec la contention[3] d'un ruisseau creux sans grande pente, elle choit tout à coup en un filet parfaitement vertical, assez grossièrement tressé, jusqu'au sol où elle se brise et rejaillit en aiguillettes brillantes.

Chacune de ses formes a une allure particulière ; il y répond un bruit particulier. Le tout vit avec intensité comme un mécanisme compliqué, aussi précis que hasardeux, comme une horlogerie dont le ressort est la pesanteur d'une masse donnée de vapeur en précipitation.

La sonnerie au sol des filets verticaux, le glou-glou des gouttières, les minuscules coups de gong se multiplient et

---

1. *Météore* : phénomène lumineux qui accompagne l'entrée dans l'atmosphère d'un corps venant de l'espace.
2. *Individuées* : divisées en unités, en individus.
3. *Contention* : forte tension.

résonnent à la fois en un concert sans monotonie, non sans délicatesse.

Lorsque le ressort s'est détendu, certains rouages quelque temps continuent à fonctionner, de plus en plus ralentis, puis toute la machinerie s'arrête. Alors si le soleil reparaît tout s'efface bientôt, le brillant appareil s'évapore : il a plu.

Le Parti pris des choses, 1942.

LA ROBE DES CHOSES

Une fois, si les objets perdent pour vous leur goût, observez alors, de parti pris, les insidieuses modifications apportées à leur surface par les sensationnels événements de la lumière et du vent selon la fuite des nuages, selon que tel ou tel groupe des ampoules du jour s'éteint ou s'allume, ces continuels frémissements de nappes, ces vibrations, ces buées, ces haleines, ces jeux de souffles, de pets légers.

Aimez ces compagnies de moustiques à l'abri des oiseaux sous des arbres proportionnés à votre taille, et leurs évolutions à votre hauteur.

Soyez émus de ces grandioses quoique délicats, de ces extraordinairement dramatiques quoique ordinairement inaperçus événements sensationnels, et changements à vue.

Mais l'explication par le soleil et par le vent, constamment présente à votre esprit, vous prive de beaucoup de surprises et de merveilles. Sous-bois, aucun de ces événements ne vous fait arrêter votre marche, ne vous plonge dans la stupéfaction de l'attention dramatique, tandis que l'apparition de la plus banale forme aussitôt vous saisit, l'irruption d'un oiseau par exemple.

Apprenez donc à considérer simplement le jour, c'est-à-dire, au-dessus des terres et de leurs objets, ces milliers d'ampoules ou fioles suspendues à un firmament, mais à toutes hauteurs et à toutes places, de sorte qu'au lieu de le montrer elles le dissimulent. Et suivant les volontés ou caprices de quelque puissant souffleur en scène, ou peut-être les coups de vent, ceux que l'on sent aux joues et ceux que l'on ne sent pas, elles s'éteignent ou se rallument, et revêtent le spectateur en même temps que le spectacle de robes changeant selon l'heure et le lieu.

Pièces, 1961.

LA GRENOUILLE

Lorsque la pluie en courtes aiguillettes rebondit aux prés saturés, une naine amphibie, une Ophélie[1] manchote, grosse à peine comme le poing, jaillit parfois sous les pas du poète et se jette au prochain étang.

Laissons fuir la nerveuse. Elle a de jolies jambes. Tout son corps est ganté de peau imperméable. À peine viande ses muscles longs sont d'une élégance ni chair ni poisson. Mais pour quitter les doigts la vertu du fluide s'allie chez elle aux efforts du vivant. Goitreuse[2], elle halète... Et ce cœur qui bat gros, ces paupières ridées, cette bouche hagarde m'apitoyent à la lâcher.

Pièces, 1961.

---

1. *Ophélie :* personnage de la pièce de Shakespeare *Hamlet* (1601). Elle devient folle et se noie après le meurtre de son père par Hamlet.
2. *Goitreuse :* affligée d'un gonflement du cou (goitre).

L'APPAREIL DU TÉLÉPHONE

D'un socle portatif à semelle de feutre, selon cinq mètres de fils de trois sortes qui s'entortillent sans nuire au son, une crustace[1] se décroche, qui gaîment bourdonne... tandis qu'entre les seins de quelque sirène sous roche, une cerise de métal vibre...

Toute grotte subit l'invasion d'un rire, ses accès argentins, impérieux et mornes, qui comporte cet appareil.

(Autre)

Lorsqu'un petit rocher, lourd et noir, portant son homard en anicroche[2], s'établit dans une maison, celle-ci doit subir l'invasion d'un rire aux accès argentins, impérieux et mornes. Sans doute est-ce celui de la mignonne sirène dont les deux seins sont en même temps apparus dans un coin sombre du corridor, et qui produit son appel par la vibration entre les deux d'une petite cerise de nickel, y pendante.

Aussitôt, le homard frémit sur son socle. Il faut qu'on le décroche : il a quelque chose à dire, ou veut être rassuré par votre voix.

D'autres fois, la provocation vient de vous-même. Quand vous y tente le contraste sensuellement agréable entre la légèreté du combiné et la lourdeur du socle. Quel charme alors d'entendre, aussitôt la crustace détachée, le bourdonnement gai qui vous annonce prêtes au quelconque caprice de votre oreille les innombrables nervures électriques de toutes les villes du monde !

---

1. *Crustace* : néologisme formé à partir de « crustacé ».
2. *Anicroche* : petit obstacle, ennui passager. (Mot à rapprocher aussi du verbe « accrocher ».)

Il faut agir le cadran mobile, puis attendre, après avoir pris acte de la sonnerie impérieuse qui perfore votre patient, le fameux déclic qui vous délivre sa plainte, transformée aussitôt en cordiales ou cérémonieuses politesses... Mais ici finit le prodige et commence une banale comédie.

Pièces, 1961.

Francis Ponge

LE PAPILLON

1. Relevez les éléments de comparaison entre la germination des fleurs et l'éveil des papillons au printemps.

2. Répertoriez les images désignant les activités et les mouvements du papillon. Quelle est leur valeur expressive ?

3. Quel effet produit sur le lecteur la froideur apparente du ton, sa neutralité descriptive ?

4. Par le jeu des images, l'auteur donne au papillon des dimensions excédant largement celles que l'esprit humain accorde généralement. Quel projet réalise-t-il ainsi ?

L'HUÎTRE

1. Montrez que le style de la description est à la fois méthodique et poétique.

2. L'huître, un objet repoussant et mystérieux : comment beauté et laideur sont-elles intimement liées ?

LA ROBE DES CHOSES

1. Étudiez la progression et la signification des impératifs qui rythment ce poème.

2. Comment Ponge fait-il ressortir la beauté de la nature ?

3. Le caractère prosaïque du style est-il un obstacle au développement du lyrisme ? Justifiez votre point de vue par des exemples précis.

ENSEMBLE DES TEXTES

1. Le parti pris des choses : le choix de réalités modestes n'est-il qu'une manifestation d'originalité ? Argumentez votre réponse.

2. D'après les poèmes proposés, dites quelle place et quel rôle Ponge imagine pour l'homme sur la Terre ?

3. L'humour de Francis Ponge est une forme de lucidité et de clairvoyance. Par quels procédés incite-t-il à accéder au sentiment de relativité ?

4. L'œuvre de Ponge peut-elle être perçue comme l'expression d'un « nouvel humanisme » ? Argumentez votre réponse.

5. Quels aspects vous paraissent expliquer le rapprochement de cet auteur avec le surréalisme dans les années 1920 - 1930 ? Quels sont les éléments qui, par ailleurs, distinguent radicalement Ponge de ce mouvement ?

Figure composée d'ustensiles de cuisine.
Dessin de Giuseppe Arcimboldo (v. 1533-1593).
Bibliothèque de l'école des Beaux-Arts, Paris.

Documentation thématique

Théories de la pratique surréaliste, p. 196

Théories
de la pratique surréaliste

En refusant de limiter la poésie à un exercice littéraire, les surréalistes lui ont ouvert de larges perspectives. Ils ont voulu qu'elle devienne la transcription pure de l'activité psychique et qu'elle opère une libération du langage dans toutes ses modalités ; ils ont proposé une nouvelle fonction et de nouveaux devoirs au poète face à sa pratique spécifique et, en même temps, révélé à l'homme une autre approche de la réalité.

L'écriture automatique

Dans le *Manifeste du surréalisme* (1924), André Breton explique comment il fut illuminé par la découverte de l'automatisme de la pensée, expérience qu'il adapta, avec ses amis, à son travail poétique.

Tout occupé que j'étais encore de Freud à cette époque et familiarisé avec ses méthodes d'examen que j'avais eu quelque peu l'occasion de pratiquer sur des malades pendant la guerre, je résolus d'obtenir de moi ce qu'on cherche à obtenir d'eux, soit un monologue de débit aussi rapide que possible, sur lequel l'esprit critique du sujet ne fasse porter aucun jugement, qui ne s'embarrasse, par suite, d'aucune réticence, et qui soit aussi exactement que possible la *pensée parlée*. Il m'avait paru, et il me paraît encore [...] que la vitesse de la pensée n'est pas supérieure à celle de la parole, et qu'elle ne défie pas forcément la langue, ni même la plume qui court. C'est dans ces dispositions que Philippe Soupault, à qui j'avais fait part de ces premières conclusions, et moi nous entreprîmes de noircir du papier, avec un louable mépris de ce qui pourrait s'ensuivre littérairement. La facilité de réalisation fit le reste. À la fin du premier jour, nous pouvions nous lire une cinquantaine de pages obtenues par ce moyen, commencer à comparer nos résultats. Dans l'ensemble, ceux de Soupault et les miens présentaient une remarquable analogie : même vice de construction, défaillances de même nature, mais aussi, de part et d'autre, l'illusion d'une verve extraordinaire, beaucoup d'émotion, un choix considérable d'images d'une qualité telle que nous n'eussions pas été capables d'en préparer une seule de longue main, un pittoresque très spécial et, de-ci de-là, quelque proposition d'une bouffonnerie aiguë. Les seules différences que présentaient nos deux textes me parurent tenir essentiellement à nos humeurs réciproques, celle de Soupault moins statique que la mienne et, s'il me permet cette légère critique, à ce qu'il avait commis l'erreur de distribuer au haut de certaines pages, et par esprit, sans doute, de mystification, quelques mots en guise de titres. Je dois, par contre, lui rendre cette justice qu'il s'opposa toujours, de toutes ses forces, au moindre remaniement, à la moindre correction au cours de tout passage de ce genre qui me semblait plutôt mal venu. En cela certes il eut tout a fait raison. Il est, en effet, fort difficile d'apprécier à leur juste valeur les divers éléments en présence, on peut même dire qu'il est impossible de les apprécier à première lecture.

André Breton, *Manifestes du surréalisme,*
Nouvelles Éditions J.-J. Pauvert, 1979.

Le langage libéré des contraintes

André Breton met en évidence la richesse insoupçonnée des mots libérés par le jeu de l'inconscient et la nécessité, pour le poète, de refuser toute autocensure.

Le langage a été donné à l'homme pour qu'il en fasse un usage surréaliste. Dans la mesure où il lui est indispensable de se faire comprendre, il arrive tant bien que mal à s'exprimer et à assurer par là l'accomplissement de quelques fonctions prises parmi les plus grossières. Parler, écrire une lettre n'offrent pour lui aucune difficulté réelle, pourvu que, ce faisant, il ne propose pas un but au-dessus de la moyenne, c'est-à-dire pourvu qu'il se borne à s'entretenir (pour le plaisir de s'entretenir) avec quelqu'un. Il n'est pas anxieux des mots qui vont venir, ni de la phrase qui suivra celle qu'il achève. À une question très simple, il sera capable de répondre à brûle-pourpoint. En l'absence de *tics* contractés au commerce des autres, il peut spontanément se prononcer sur un petit nombre de sujets ; il n'a pas besoin pour cela de « tourner sept fois sa langue » ni de se formuler à l'avance quoi que ce soit. Qui a pu lui faire croire que cette faculté de premier jet n'est bonne qu'à le desservir lorsqu'il se propose d'établir des rapports plus délicats ? Il n'est rien sur quoi il devrait se refuser à parler, à écrire d'abondance. S'écouter, se lire n'ont d'autre effet que de suspendre l'occulte, l'admirable secours. Je ne me hâte pas de me comprendre (baste ! je me comprendrai toujours). Si telle ou telle phrase de moi me cause sur le moment une légère déception, je me fie à la phrase suivante pour racheter ses torts, je me garde de la recommencer ou de la parfaire. Seule la moindre perte d'élan pourrait m'être fatale. Les mots, les groupes de mots *qui se suivent* pratiquent entre eux la plus grande solidarité. Ce n'est pas à moi de favoriser ceux-ci aux dépens de ceux-là. C'est à une miraculeuse compensation d'intervenir — et elle intervient.

André Breton, *Manifestes du surréalisme,*
Nouvelles Éditions J.-J. Pauvert, 1979.

La méthode analogique

Dans *Signe ascendant,* Breton rappelle en le précisant le rôle déterminant de la fonction analogique du langage qui permet de rompre avec un usage strictement logique et utilitaire de la langue.

Je n'ai jamais éprouvé le plaisir intellectuel que sur le plan analogique. Pour moi la seule *évidence* au monde est commandée par le rapport spontané, extra-lucide, insolent qui s'établit, dans certaines conditions, entre telle chose et telle autre, que le sens commun retiendrait de confronter. Aussi vrai que le mot le plus haïssable me paraît être le mot *donc,* avec tout ce qu'il entraîne de vanité et de délectation morose, j'aime éperdument tout ce qui, rompant d'aventure le fil de la pensée discursive, part soudain en fusée, illuminant une vie de relations autrement féconde, dont tout indique que les hommes des premiers âges eurent le secret. Et certes la fusée retombe vite mais il n'en faut pas davantage pour mesurer à leur échelle funèbre les valeurs d'échange qui se proposent aujourd'hui. Pas de réponse, sinon à des questions utilitaires immédiates. Indifférent à tout ce qui ne l'approche pas de très près, de plus en plus insensible à tout ce qui pourrait lui livrer, pourvu qu'elle ait quelque ampleur, une interrogation de la nature, l'homme que nous côtoyons ne se donne plus guère à tâche que de flotter. La conviction millénaire qui veut que rien n'existe gratuitement mais que tout au contraire il ne soit pas un être, un phénomène naturel dépourvu pour nous d'une communication chiffrée — conviction qui anime la plupart des cosmogonies — a fait place au plus hébété des détachements : on a jeté le manche après la cognée. On se cache pour se demander : « D'où viens-je ? Pourquoi suis-je ? Où vais-je ? » Pourtant quelle aberration ou quelle impudence n'y a-t-il pas à vouloir « transformer » un monde qu'on ne se soucie plus d'interpréter dans ce qu'il a d'à peu près permanent. Les contacts primordiaux sont coupés : ces contacts je dis que seul le ressort analogique parvient fugitivement à les rétablir. D'où l'importance que prennent, à longs intervalles, ces brefs éclats du miroir perdu.

André Breton, *La Clé des champs,*
Société nouvelle des éditions Pauvert, 1968.

La poésie est une évidence

À la suite de Breton, Eluard, dans *l'Évidence poétique* (1937), dénonce la conception, héritée du romantisme, du poète retranché dans sa tour d'ivoire. Il montre que la poésie peut assigner à l'homme une voie nouvelle d'espérance et d'avenir.

Le temps est venu où tous les poètes ont le droit et le devoir de soutenir qu'ils sont profondément enfoncés dans la vie des autres hommes, dans la vie commune.

Au sommet de tout, oui, je sais, ils ont toujours été quelques-uns à nous conter cette baliverne, mais, comme ils n'y étaient pas, ils n'ont pas su nous dire qu'il y pleut, qu'il y fait nuit, qu'on y grelotte, et qu'on y garde la mémoire de l'homme et de son aspect déplorable, qu'on y garde, qu'on y doit garder la mémoire de l'infâme bêtise, qu'on y entend des rires de boue, des paroles de mort. Au sommet de tout, comme ailleurs, plus qu'ailleurs peut-être, pour celui qui *voit*, le malheur défait et refait sans cesse un monde banal, vulgaire, insupportable, impossible.

Il n'y a pas de grandeur pour qui veut grandir. Il n'y a pas de modèle pour qui cherche ce qu'il n'a jamais vu. Nous sommes tous sur le même rang. Rayons les autres.

N'usant des contradictions que dans un but égalitaire, la poésie, malheureuse de plaire quand elle se satisfait d'elle-même, *s'applique*, depuis toujours, malgré les persécutions de toutes sortes, à refuser de servir un ordre qui n'est pas le sien, une gloire indésirable et les avantages divers accordés au conformisme et à la prudence.

Poésie pure ? La force absolue de la poésie purifiera les hommes, tous les hommes. Écoutons Lautréamont : « *La poésie doit être faite par tous. Non par un.* » Toutes les tours d'ivoire seront démolies, toutes les paroles seront sacrées et l'homme, s'étant enfin accordé à la réalité, qui est sienne, n'aura plus qu'à fermer les yeux pour que s'ouvrent les portes du merveilleux. [...]

Le poète est celui qui inspire bien plus que celui qui est inspiré. Les poèmes ont toujours de grandes marges blanches, de grandes marges de silence où la mémoire ardente se consume pour recréer un délire sans passé. Leur principale qualité est non pas, je le répète, d'invoquer, mais d'inspirer. Tant de poèmes d'amour sans objet réuniront, un beau jour, des amants. On rêve sur un poème comme on rêve sur un être. La compréhension, comme le désir, comme la haine, est faite de rapports entre la chose à comprendre et les autres, comprises ou incomprises.

Paul Eluard, *l'Évidence poétique*,
Gallimard, 1937.

Au-delà de la poésie,
le surréalisme comme recherche

Artaud, qui fut, dès 1924, l'un des animateurs du Bureau de recherches surréalistes, témoigne de son enthousiasme pour les possibilités ouvertes par cette activité multiforme qui concerne aussi bien la vie, la pensée, la perception du monde et l'idéal auquel chaque homme peut souscrire.

L'ACTIVITÉ DU BUREAU
DE RECHERCHES SURRÉALISTES

Le fait d'une révolution surréaliste dans les choses est applicable à tous les états de l'esprit,
   à tous les genres d'activité humaine,
   à tous les états du monde au milieu de l'esprit,
   à tous les faits établis de morale,
   à tous les ordres d'esprit.
   Cette révolution vise à une dévalorisation générale des valeurs, à la dépréciation de l'esprit, à la déminéralisation de l'évidence, à une confusion absolue et renouvelée des langues, au dénivellement de la pensée.
   Elle vise à la rupture et à la disqualification de la logique qu'elle pourchassera jusqu'à extirpation de ses retranchements primitifs.
   Elle vise au reclassement spontané des choses suivant un ordre plus profond et plus fin, et impossible à élucider par les moyens de la raison ordinaire, mais un ordre tout de même, et perceptible à l'on ne sait quel sens..., mais perceptible tout de même, et un ordre qui n'appartient pas tout à fait à la mort.
   Entre le monde et nous la rupture est bien établie. Nous ne parlons pas pour nous faire comprendre, mais seulement à l'intérieur de nous-mêmes, avec des socs d'angoisse, avec le tranchant d'une obstination acharnée, nous retournons, nous dénivelons la pensée.
   Le bureau central des recherches surréalistes s'applique de toutes ses forces à ce reclassement de la vie.
   Il y a toute une philosophie du surréalisme à instituer, ou ce qui peut en tenir lieu.

Il ne s'agit pas à proprement parler d'établir des canons, des préceptes,

mais de trouver :

1. Des moyens d'investigation surréaliste au sein de la pensée surréaliste ;

2. De fixer des repères, des moyens de reconnaissance, des conduits, des îlots.

On peut, on doit admettre jusqu'à un certain point une mystique surréaliste, un certain ordre de croyances évasives par rapport à la raison ordinaire, mais toutefois bien déterminées, touchant à des points bien fixés de l'esprit.

Le surréalisme, plutôt que des croyances, enregistre un certain ordre de répulsions.

Le surréalisme est avant tout un état d'esprit, il ne préconise pas de recettes.

Le premier point est de se bien placer en esprit.

Nul surréaliste n'est au monde, ne se pense dans le présent, ne croit à l'efficacité de l'esprit-éperon, de l'esprit-guillotine, de l'esprit-juge, de l'esprit-docteur, et résolument il s'espère à côté de l'esprit.

Le surréaliste a jugé l'esprit.

Il n'a pas de sentiments qui fassent partie de lui-même, il ne se reconnaît aucune pensée. Sa pensée ne lui fabrique pas de monde auquel *raisonnablement* il acquiesce.

Antonin Artaud, *l'Ombilic des limbes,*
Gallimard, 1925.

L'exigence de la surréalité

Dans l'*Introduction au discours sur le peu de réalité* (1924), André Breton affirme l'idée selon laquelle le langage transcende le réel : le poète peut tout attendre de l'inconnu dans son travail sur les mots, car ceux-ci sont toujours irréductibles au sens qu'ils désignent.

Restent les mots, puisque, aussi bien, de nos jours c'est cette même querelle qui se poursuit. Les mots sont sujets à se grouper selon des affinités particulières, lesquelles ont généralement pour effet de leur faire recréer à chaque instant le monde sur son vieux modèle. Tout se passe alors comme si une réalité concrète existait en dehors de l'individuel ; que dis-je, comme si cette réalité était immuable. Dans l'ordre de la constatation pure et simple, si tant est que nous l'envisagions, il nous faut une certitude absolue pour avancer quelque chose de neuf, quelque chose qui soit de nature à heurter le sens commun. Le fameux *E pur, si muove !* dont Galilée aurait fait suivre à voix basse l'abjuration de sa doctrine, demeure toujours de circonstance. Tout homme d'aujourd'hui, soucieux de se conformer aux directions de son époque, se sent-il, par exemple, en mesure de faire la part dans son langage des dernières découvertes biologiques, ou de la théorie de la relativité ?

Mais je l'ai déjà dit, les mots, de par la nature que nous leur reconnaissons, méritent de jouer un rôle autrement décisif. Rien ne sert de les modifier puisque, tels qu'ils sont, ils répondent avec cette promptitude à notre appel. Il suffit que notre critique porte sur les lois qui président à leur assemblage. La médiocrité de notre univers ne dépend-elle pas essentiellement de notre pouvoir d'énonciation ? La poésie, dans ses plus mortes saisons, nous en a souvent fourni la preuve : quelle débauche de ciels étoilés, de pierres précieuses, de feuilles mortes. Dieu merci, une réaction lente mais sûre a fini par s'opérer à ce sujet dans les esprits. Le dit et le redit rencontrent aujourd'hui une solide barrière. Ce sont eux qui nous rivaient à cet univers commun. C'est en eux que nous avions pris ce goût de l'argent, ces craintes limitantes, ce sentiment de la « patrie », cette horreur de notre destinée. Je crois qu'il n'est pas trop tard pour revenir sur cette déception inhérente aux mots dont nous avons fait jusqu'ici mauvais usage. Qu'est-ce qui me retient de brouiller l'ordre des mots, d'attenter de cette manière à l'existence toute apparente des choses ! Le langage peut et doit être arraché à son servage. Plus de descriptions d'après nature, plus d'études de mœurs. Silence, afin qu'où nul n'a jamais passé je passe, silence ! — Après toi, mon beau langage.

Le but, assure-t-on en matière de langage, c'est d'être compris. Mais compris ! Compris de moi sans doute, quand je m'écoute à la façon des petits enfants qui réclament la suite d'un conte de fées. Qu'on y prenne garde, je sais le sens de tous mes mots et j'observe *naturellement* la syntaxe (la syntaxe qui n'est pas, comme le croient certains sots, une discipline). Je ne vois pas, après cela, pourquoi l'on se récrierait en m'entendant soutenir que l'image la plus satisfaisante que je me fasse en ce moment de la terre est celle d'un cerceau de papier. Si pareille ineptie n'a jamais été proclamée avant moi, d'abord ce n'est pas une ineptie. On ne peut, du reste, me demander compte d'aucun propos de cette sorte, ou bien j'exige le contexte.

André Breton, *Introduction au discours
sur le peu de réalité*, N.R.F., 1927.

La poésie et les mythes fondamentaux

Dans l'introduction de *la Parole est à Péret,* publié à New York en 1943, Benjamin Péret rappelle le rôle primordial de la poésie qui permettra aux hommes de se libérer de leur condition misérable.

L'oiseau vole, le poisson nage et l'homme invente car seul dans la nature il possède une imagination toujours aux aguets, toujours stimulée par une nécessité sans cesse renouvelée. Il sait que son sommeil fourmille de rêves qui lui conseillent de tuer son ennemi le lendemain même ou, interprétés selon les règles, lui tracent son avenir. Mais sont-ce des rêves, des manifestations de son « esprit » ou de celui d'un ancêtre qui lui veut du bien ou poursuit la vengeance d'une quelconque offense ? Pour le primitif il n'y a pas encore de rêves ; cette mystérieuse activité de l'esprit dans un corps inerte lui révèle que son « double » veille sur lui, qu'un ancêtre pèse sur sa destinée ou, plus tard, qu'un dieu − Viracocha chez les Incas, Huitzilopochtli chez les Aztèques − veut le bonheur du peuple en échange d'un tribut d'adoration. Cet esprit qui est en lui et l'anime nuit et jour, il n'est pas assez présomptueux − connaissant trop bien l'exiguïté de ses moyens physiques − pour croire qu'il est seul dans l'univers à le posséder. Le soleil, la lune, les étoiles, le tonnerre, la pluie et la nature entière lui ressemblent et si, de matière à matière, son pouvoir est faible, il est compensé, d'esprit à esprit, par une puissance qu'il postule sans limites. Il lui suffit de trouver le moyen adéquat de toucher l'esprit qu'il s'agit de circonvenir. Si la nature paraît hostile ou tout au moins indifférente au sort des hommes, il n'en a pas toujours été ainsi. Les animaux, les plantes, les phénomènes météorologiques et les astres sont des ancêtres prêts à le secourir ou à le châtier. Ils ont été bons ou mauvais et se sont vu transformer en signe de récompense ou de condamnation, en quelque chose d'utile ou de nuisible à l'homme, à moins qu'un accident imaginaire ne détermine cette métamorphose pour expliquer un phénomène naturel mais surprenant. Le paysan breton, en disant devant une giboulée que le « diable bat sa femme », témoigne que cette conception du monde ne lui est pas tout à fait étrangère et qu'il sait encore voir la nature d'un œil poétique. Encore ! car la société barbare qui fait vivre (vivre ?) l'immense majorité des hommes de boîtes de conserve et les conserve dans des boîtes, logements de la dimension d'un cercueil, tarifant le soleil et la mer, cherche à les ramener aussi intellectuellement à une époque immémoriale, antérieure à la reconnaissance de la poésie. Je pense à l'existence de damnés que cette société impose aux ouvriers, telle que nous l'a révélée, à peine soulignée par un humour étincelant, le film de Charlie Chaplin, « Temps modernes ». Pour ces hommes la poésie perd fatalement toute signification. Il ne leur reste plus guère que le langage. Leurs maîtres ne le leur ont pas ôté, ils ont trop besoin qu'ils le conservent. Du moins l'ont-ils émasculé pour le priver de toute velléité d'évocation poétique, le réduisant au langage dégénéré du « doit » et de l'« avoir ».

Benjamin Péret, *La parole est à Péret,*
José Corti, 1945.

Contre la poésie engagée

Péret s'insurge contre l'asservissement de la poésie à un but qui lui est extérieur, même au nom de la révolution politique.

Pour lui, la poésie engagée, loin de libérer l'homme, ne fait que lui proposer d'autres chaînes.

Le poète ne désire pas mettre sa poésie au service d'une action politique, même révolutionnaire. Mais sa qualité de poète en fait un révolutionnaire qui doit combattre sur tous les terrains : celui de la poésie par les moyens propres à celle-ci et sur le terrain de l'action sociale sans jamais confondre les deux champs d'action sous peine de rétablir la confusion qu'il s'agit de dissiper et, par suite, de cesser d'être poète, c'est-à-dire révolutionnaire. [...]

La liberté est comme « un appel d'air », disait André Breton, et, pour remplir son rôle, cet appel d'air doit d'abord emporter tous les miasmes du passé qui infestent cette brochure. Tant que les fantômes malveillants de la religion et de la patrie heurteront l'aire sociale et intellectuelle sous quelque déguisement qu'ils empruntent, aucune liberté ne sera concevable : leur expulsion préalable est une des conditions capitales de l'avènement de la liberté. Tout « poème » qui exalte une « liberté » volontairement indéfinie quand elle n'est pas décorée d'attributs religieux ou nationalistes, cesse d'abord d'être un poème et par suite constitue un obstacle à la libération totale de l'homme, car il le trompe en lui montrant une « liberté » qui dissimule de nouvelles chaînes. Par contre, de tout poème *authentique* s'échappe un souffle de liberté entière et agissante, même si cette liberté n'est pas évoquée sous son aspect politique ou social, et, par là, contribue à la libération effective de l'homme.

Benjamin Péret, le Déshonneur des poètes,
José Corti, 1945.

La poésie ouvre les portes du merveilleux

Pierre Mabille (1904-1952), lui aussi membre du groupe surréaliste, précise le rôle de la poésie : elle réalise les désirs inconscients des hommes, notamment l'aspiration à un monde harmonieux, en leur permettant d'accéder au merveilleux.

Par un singulier paradoxe, plus l'humanité étend son savoir et sa maîtrise sur le monde, plus elle se sent étrangère à la vie de cet univers, plus aussi elle sépare les besoins de l'être des données de l'intelligence. Une antinomie définitive semble aujourd'hui exister entre la démarche du merveilleux et celle des sciences.

L'émotion subsiste pour le savant au moment de la découverte, il perçoit l'obstacle franchi, la porte qui s'ouvre sur un domaine inexploré. L'émotion est ressentie par les incultes qui, sans rien comprendre, s'extasient devant le caractère théâtral des techniques modernes.

Les autres, élèves et professeurs, ne se sentent pas engagés dans un mécanisme où jouent la mémoire et l'intelligence pure. Le savoir est comme une valise qu'ils portent. Aucune transformation intérieure ne leur semble nécessaire pour comprendre un théorème ou suivre une courbe dans l'espace. Successivement, ils apprennent des sciences limitées dans des techniques particulières, dans un vocabulaire spécial. Ces langages de plus en plus précis et abstraits fuient les images concrètes et poétiques, les mots qui, ayant une valeur générale, engendrent l'émotion.

Le biologiste se croirait déshonoré de décrire l'évolution du globule sanguin par l'histoire du phénix, les fonctions de la rate par le mythe de Saturne engendrant des enfants pour les dévorer ensuite.

Un tel morcellement, une telle volonté analytique cesseront. Bientôt, grâce à une vaste synthèse, l'homme établira son autorité sur les connaissances qu'il a acquises. La science sera une clef du monde dès qu'elle sera susceptible d'exprimer les mécanismes de l'Univers dans une langue accessible à l'émotion collective. Cette langue constituera la poésie nouvelle lyrique et collective, poésie dégagée enfin des frissonnements, des jeux illusoires, des images désuètes.

La conscience cessera alors d'enfermer les élans de la vie dans un corset de fer ; elle sera au service du désir ; la raison, dépassant le plan sordide du bon sens et de la logique où elle se traîne aujourd'hui, rejoindra à l'étage des transcendances les grandes possibilités de l'imagination et du Rêve.

Si j'admets la réalité extérieure du merveilleux, si j'espère que les sciences en permettront l'exploration, c'est avec la certitude que bientôt la vie intérieure de l'individu ne sera plus séparée de la connaissance et du développement du monde extérieur.

Car il n'est que trop évident que le mystère est autant en nous que dans les choses, que le pays du merveilleux est avant tout dans notre être sensible.

Pierre Mabille, *le Miroir du merveilleux*,
Éditions de Minuit, 1962.

De l'humour comme révélateur

C'est Breton qui a défini pour la première fois, en 1940, le concept d'humour noir. Il voyait dans ce rapport au langage une manifestation hautement subversive face aux conditions misérables imposées à l'homme.

« Pour qu'il y ait comique, c'est-à-dire émanation, explosion, dégagement de comique, dit Baudelaire, il faut... »

Émanation, explosion : il est frappant de trouver les deux mêmes mots associés chez Rimbaud et cela au cœur d'un poème on ne peut plus prodigue d'humour noir (il s'agit, en effet, du dernier poème qu'on ait de lui, où « l'expression bouffonne et égarée au possible » resurgit, condensée à l'extrême, suprême, des efforts qui ont eu pour but son affirmation, puis sa négation) :

> « *Rêve* »
> *On a faim dans la chambrée,*
> *C'est vrai ....*
> *Émanations, explosions,*
> *Un génie : Je suis le gruère !*
> ....

Rencontre, réminiscence involontaire, citation ? Il faudrait, pour en trancher, qu'on eût poussé assez loin l'exégèse de ce poème, le plus difficile de la langue française, mais cette exégèse n'est pas même entreprise. Une telle coïncidence verbale n'en est pas moins déjà significative. Elle révèle, chez les deux poètes, une même préoccupation des conditions pour ainsi dire atmosphériques dans lesquelles peut s'opérer entre les hommes le mystérieux échange du plaisir humoristique. Échange auquel, depuis un siècle et demi, s'est trouvé attaché un prix croissant qui tend à en faire aujourd'hui le principe du seul commerce intellectuel de haut luxe. Il est de moins en moins certain, vu les exigences spécifiques de la sensibilité moderne, que les œuvres poétiques, artistiques, scientifiques, les systèmes philosophiques et sociaux dépourvus de *cette sorte* d'humour ne laissent pas gravement à désirer, ne soient pas condamnés plus ou moins rapidement à périr. Il s'agit ici d'une valeur non seulement ascendante entre toutes, mais encore capable de se soumettre toutes les autres jusqu'à faire que bon nombre d'entre elles cessent universellement d'être cotées. Nous touchons à un sujet brûlant, nous avançons en pleine terre de feu, nous avons alternativement tout le vent de la passion pour et contre nous dès que nous pensons à lever le voile sur cet humour dont pourtant nous parvenons à isoler dans la littérature, dans l'art, dans la vie, avec une satisfaction unique, des produits manifestes.

André Breton, *Anthologie de l'humour noir*,
J.-J. Pauvert, 1966.

En dernière instance, la poésie est un jeu

La poésie a toujours été considérée par les surréalistes comme une activité ludique. La pratique de l'écriture automatique, qui tendait à éliminer la responsabilité de l'auteur, permettait des réalisations collectives, comme *Ralentir travaux,* écrit conjointement en 1930 par André Breton, Paul Eluard et René Char. Le texte qui suit ne peut être attribué à l'un d'eux en particulier.

ISOLÉE À RAVIR

Elle a jeté un pont de soupirs
Sur la mer inhabitable
Elle a quitté ses habits de terre
Mis ses habits de sable

209

Elle parle une langue de liège
Épuise le temps en une saison
Elle danse pour des parterres de galets
Sous des lustres de larmes

Un jour elle est revenue d'un étrange voyage
Tous ses bagages étaient couverts d'étiquettes orangées
Les porteurs l'un après l'autre se trouvaient mal
Accablés par le point-du-jour qu'elle avait enveloppé dans ses
    dessous tourbillonnants
Elle est revenue pour distraire la fraîcheur de son ennui
    brûlant
Pour ne plus être seule à maudire le feu

Originale

André Breton, Paul Eluard et René Char,
Ralentir travaux, Gallimard, 1930.

Annexes

La poésie : une attitude dans la vie

Le terme « poésie » a fini par devenir, avec les surréalistes, un synonyme de toute leur activité. Il recouvre ainsi des productions artistiques très variées : écriture automatique, récits de rêve, proses ou poèmes, collages et frottages (voir p. 242), peintures, objets, films ou bien simplement une façon de vivre. La poésie, au sens surréaliste du terme, se distingue farouchement, non sans malice ni humour, de l'activité jugée bornée des « poètes de profession », des « hommes de lettres » en général. C'est le regard porté sur le monde qui fait la poésie et le poète est avant tout celui qui « donne à voir » (Eluard).

Pour Breton, la seule création réside dans la spontanéité absolue, qu'il oppose à une « littérature de calcul », tandis qu'Eluard fait de la poésie une activité spécifique : les récits de rêves, les textes automatiques sont des expériences qui témoignent de la vie profonde de l'esprit ; les poèmes, quant à eux, répondent à une volonté de transformer le monde extérieur. Eluard reconnaît cependant que l'automatisme apporte des éléments à la création poétique : « On a pu penser que l'écriture automatique rendait les poèmes inutiles. Non : elle augmente, développe seulement le champ de conscience poétique, en l'enrichissant » (*in* Eluard, *Œuvres complètes,* Bibliothèque de la Pléiade, p. 979-980). Par ailleurs, Breton admet que l'automatisme pur n'existe pas et tend « généralement dans le sens d'un arrangement en poème » (lettre à R. de Réneville). En fin de compte, si certains points de vue convergent, il n'y a pas, dans le groupe surréaliste, unanimité sur la théorie de la création poétique et sur la distinction spécifique du poème face aux autres activités du groupe.

Le triomphe de l'image verbale

On peut cependant trouver le point de ralliement de ces poètes dans leur prédilection pour l'image verbale. Par exemple, dans *le Paysan de Paris,* Aragon définit le surréalisme par la fonction de l'image qui « à chaque coup vous force à réviser tout l'univers ». Les surréalistes s'inspirent volontiers de l'expérience de prédécesseurs visionnaires comme Rimbaud, Apollinaire ou Saint-Pol-Roux, et Breton reprend dans le *Manifeste* la définition que Pierre Reverdy donne de l'image.

L'image est une création pure de l'esprit.
Elle ne peut naître d'une comparaison mais du rapprochement de deux réalités plus ou moins éloignées.
Plus les rapports des deux réalités rapprochées seront lointains et justes, plus l'image sera forte − plus elle aura de puissance émotive et de réalité poétique.

Nord-Sud, mars 1918.

Dans *le Dictionnaire abrégé du surréalisme* (1938), écrit en collaboration par Breton et Eluard, on trouve la définition suivante de l'image, qui développe et précise celle de Reverdy.

L'image surréaliste la plus forte est celle qui présente le degré d'arbitraire le plus élevé, celle qu'on met le plus longtemps à traduire en langage pratique, soit qu'elle recèle une dose énorme de contradiction apparente, soit que l'un de ses termes en soit curieusement dérobé, soit que, s'annonçant sensationnelle, elle ait l'air de se dénouer faiblement (qu'elle ferme brusquement l'angle de son compas), soit qu'elle tire d'elle-même une justification formelle dérisoire, soit qu'elle soit d'ordre hallucinatoire, soit qu'elle prête très naturellement à l'abstrait le masque du concret, ou inversement, soit qu'elle implique la négation de quelque propriété physique élémentaire, soit qu'elle déchaîne le rire.

José Corti, 1938.

Une telle définition est une bonne introduction à la lecture des poèmes surréalistes : elle montre que l'image verbale échappe à tout « bon sens » réducteur, comme à toute compréhension rationnelle. Elle est conçue comme un langage réinventé. Son renouvellement est une constante de ces poèmes : elle exprime, par l'analogie entre deux réalités appartenant à des registres différents, la naissance d'un univers inédit et insolite, permettant l'exploration de l'inconnu. Dans leurs *Notes sur la poésie* (dernier numéro de *la Révolution surréaliste*, 1929), Eluard et Breton affirment : « La poésie est le contraire de la littérature » ; c'est que, ajoute Eluard, « le poème désensibilise l'univers au seul profit des facultés humaines, permet à l'homme de voir autrement, d'autres choses. Son ancienne vision est morte, il devient un nouvel homme » (ouvrage cité, p. 550 et 980).

Breton et Péret, parmi d'autres, poursuivront toute leur vie leur quête du jamais-vu dans une expression poétique libérée de toute entrave d'ordre syntaxique ou rhétorique. En revanche, Desnos, Aragon et même Eluard, à la fin des années 30, reviennent à des formes traditionnelles (syllabisme, usage de la rime) et renoncent à produire des images dont l'insolite les avait primitivement illuminées. On peut voir dans cette production nouvelle, en dehors de toute polémique, soit un abandon de l'idéal qui faisait d'eux des surréalistes, soit l'effet d'une maturité, après les folles expériences et les errances de la jeunesse.

Le rêve

Le rêve et l'inconscient

C'est dans la nouvelle série de *Littérature* (1922) qu'apparaissent les premiers récits de rêves. De telles publications se poursuivent abondamment dans les premiers numéros de *la Révolution surréaliste*. Le rêve est en effet une expérience centrale pour les membres du groupe. Il illustre la quête de la surréalité et du « fonctionnement réel de la pensée ». L'inconscient se manifeste dans le rêve avec spontanéité et les surréalistes tentent de le faire resurgir dans « l'écriture automatique ». L'enjeu est capital : il s'agit de redonner au rêve la place qu'il a perdue, depuis l'époque classique, grâce « à la récupération totale de notre force psychique par un moyen qui est la descente vertigineuse en nous » (André Breton, premier *Manifeste*).

Pour Freud qui, à cet égard, a tant influencé Breton, l'inconscient est structuré en symboles à déchiffrer, dont la compréhension peut permettre à l'homme une conscience intégrale de lui-même. C'est à la lecture de ses propres rêves mis en relation avec ce qu'il a fait, vu et entendu en état de veille que se livre Breton dans *les Vases communicants* (1932). Ainsi le monde onirique acquiert une importance aussi grande que celui de la vie éveillée : il faut désormais tenir compte des jeux de miroir qu'ils entretiennent. « Le jour, écrit Salvador Dalí dans *la Femme visible,* nous cherchons inconsciemment les images perdues des rêves, et c'est pourquoi, quand nous trouvons une image de rêve, nous croyons déjà la connaître et nous disons que seulement la voir nous fait rêver. » Le rêve peut donc être appliqué à la résolution des questions fondamentales de la vie.

La poésie du rêve

Se retrouve dans les poèmes cette atmosphère onirique qu'affectionnent tant les surréalistes. Le mécanisme de développement et d'enchaînement des images dans le rêve, en rupture avec toute cohérence logique, procède de l'analogie. C'est ce qui explique la présence récurrente de jeux de mots (Desnos, Prévert), de métamorphose (Breton, Péret, Césaire), de raccourcis ou de condensations (Eluard, Char), de cassures de sens ou de sens caché (Daumal, Leiris), dans les poèmes et leurs images.

Le principe de l'analogie poussé à l'extrême par la reconnaissance de l'expérience du rêve rencontre et transcende les procédés de la métaphore et de la métonymie. Aussi vaut-il peut-être mieux ne pas chercher un sens préexistant à l'image surréaliste. Le lecteur peut souvent être déconcerté par son apparente gratuité : qu'il se laisse aller comme le poète ou le rêveur à l'illumination qui jaillit du « court-circuit mental » provoqué par la lecture. En cela le surréalisme réalise son ambition de donner à l'écriture poétique une dimension qui dépasse la simple pratique littéraire. Il remet en question la philosophie occidentale qui, en négligeant systématiquement les phénomènes irrationnels, limite les possibilités de connaissance à l'égard de l'homme et de l'univers. En réhabilitant le rêve et en lui donnant une importance aussi grande qu'à la vie éveillée, il ouvre toutes grandes les portes d'un avenir nouveau pour la conscience de l'homme.

Le point sublime

Le surréalisme propose un but ultime : parvenir à l'état mental de surréalité. Ce point de l'esprit, qui représente le surréel même, ne se situe pas dans un au-delà mystique car le surréalisme est athée. La dérive hindouiste de Daumal, l'attachement de Dalí à l'Église catholique ne constituent que des cas isolés, vite devenus incompatibles avec le mouvement.

En refusant toute transcendance, au sens métaphysique du terme, le surréalisme adhère à un matérialisme ouvert, hostile au positivisme scientifique. Il rejette donc l'idée selon laquelle l'homme pourrait parvenir à une connaissance a priori (« a priori » étant ici à prendre au sens kantien de « connaissance qui ne découle que de la raison pure »). Si la surréalité peut se concevoir comme un pont jeté entre la réalité et l'irréel, rencontre présidant à une sorte de synthèse, il faut se représenter cet irréel comme « ce qui tend à devenir réel », objet du désir ou de conquête poétique. L'irréel, pour les surréalistes, n'est pas un lieu imaginaire, coupé du monde. De même, la surréalité n'est pas une abstraction. Elle est constituée par une tension de l'esprit visant à son entière émancipation. Elle peut être définie par la recherche de ce point sublime, « d'où la vie et la mort, le réel et l'imaginaire, le passé et le futur, le communicable et l'incommunicable cessent d'être perçus contradictoirement » (André Breton, « Position du surréalisme entre les deux guerres », *la Clé des champs*).

C'est plutôt vers une philosophie de l'immanence que semblent incliner les positions théoriques du surréalisme, soutenant que la cause de l'univers est enfermée dans l'univers même et ne lui est ni extérieure ni supérieure. De même que l'immanence peut être considérée comme l'état d'une cause qui agit sur elle-même, la surréalité est incluse dans la réalité.

217

Breton déclare ainsi : « Tout ce que j'aime, tout ce que je pense et ressens, m'incline à une philosophie particulière de l'immanence, d'après laquelle la surréalité serait contenue dans la réalité même et ne lui serait ni supérieure, ni extérieure. Et réciproquement, le contenant serait aussi le contenu » (*le Surréalisme et la Peinture*).

La recherche de ce point de l'esprit qui constitue la réalité du surréalisme tout en définissant sa démarche, n'a donc rien de religieux, rien qui puisse le relier au sacré. L'évocation de ce point rend tangible l'épanouissement de l'esprit de l'homme et une plus grande conscience de lui-même et de l'univers. Le point sublime représente pour les surréalistes une sorte d'impératif à la fois éthique et esthétique. « J'ai parlé, précise Breton dans *l'Amour fou,* d'un certain "point sublime" dans la montagne. Il ne fut jamais question de m'établir à demeure en ce point. Il eût d'ailleurs, à partir de là, cessé d'être sublime et j'eusse, moi, cessé d'être un homme. Faute de pouvoir raisonnablement m'y fixer, je ne m'en suis du moins jamais écarté jusqu'à le perdre de vue, jusqu'à ne plus pouvoir le montrer. » C'est un idéal, certes inaccessible, mais dont la prise de conscience impose à l'homme un effort constant de dépassement.

Inquiétudes

Le surréalisme ne peut se concevoir seulement comme une recherche visant à dépasser « les conditions ici bas de toute existence » (Breton). Parce que le poète vit dans la réalité et qu'il souffre de la médiocrité du quotidien, sa poésie se fait parfois blessure. Puisque la vraie vie est absente, le poète dénonce avec rage la mauvaise part qui lui est faite.

« C'est vivre et cesser de vivre qui sont des solutions imaginaires, l'existence est ailleurs », rappelle André Breton (premier *Manifeste*) ; cependant, l'accès à la vraie vie est semé d'embûches, et nombreux furent ceux qui sombrèrent dans la folie ou s'évadèrent du monde par le suicide.

Le vertige du corps

Antonin Artaud reconnaissait ne pas parvenir à exprimer par la parole le mal qui le hantait. Sa poésie, qui manifeste le plus profond de son être, traduit un malaise insupportable : « ... le ciel entier / lance sur nous comme un nuage / un tourbillon d'ailes sauvages / torrentielles d'obscénités » (« Vitres de son », *l'Ombilic des limbes*). Mais il avoue dans la répugnance son impuissance à être et à dire son être : « Nous souffrons d'une pourriture, de la pourriture de la Raison » (« Lettre aux écoles du Bouddha », *ibid.*). Artaud tente désespérément de s'habiter autrement que par l'esprit ; il a un corps à investir, une maison charnelle à bâtir, mais il se heurte aux mots ; la langue tisse un écran opaque qui l'isole du monde : « ... Entre le monde et nous, la rupture est bien établie. Nous ne parlons pas pour nous faire comprendre, mais seulement à l'intérieur de nous-mêmes, avec des socs d'angoisse... » (« L'activité du bureau de recherches surréa-

listes », *ibid.*). « Je n'ai même pas les idées qui pourraient
correspondre à ma chair, à mon état de bête physique... »
(« Nouvelle lettre à moi-même », *ibid.*).

Il vit son corps comme une chose morte, une « momie ».
Cette image l'obsède et l'entraîne dans une angoisse déchirante
où se consument l'être et la parole impuissante à l'exprimer :
« tout cela qui fait ma momie de chair fraîche... » « Spiri-
tuellement je me détruis moi-même, je ne m'accepte plus
vivant... » « Il y a dans cette momie une perte de chair, il y
a dans le sombre parler de sa chair intellectuelle tout un
impouvoir à conjurer cette chair... Mais toute cette chair n'est
que commencements et qu'absences... » (« Correspondance de
la momie », *ibid.*).

Quand bascule le sens du réel

René Daumal partage avec Artaud le même vertige, qui mènera
l'un vers la mystique hindoue, l'autre vers la folie. Daumal
est hanté par la mort, car il considère la nécessité de vivre
comme une annulation de l'être : « ... Je ne suis véritablement
que dans l'acte de négation et dans l'instant... Je vais vers un
avenir qui n'existe pas, laissant derrière moi à chaque instant
un nouveau cadavre » (*la Révolte et l'Ironie*).

Pour lui cette négation pure est un acte positif qui lui
permet d'entrevoir la « graine d'un Contre-monde ». Il s'agit
d'inverser sa faculté de perception pour atteindre la dimension
opposée à ce ciel qui nous enferme et nommée par Daumal
le « Contre-ciel » : « ...je suis le penseur du non-être et sa
splendeur je suis le père de la mort elle en est la mère elle
que j'évoque du parfait miroir de la nuit je suis l'homme à
l'envers ma parole est un trou dans le silence je connais la
désillusion je détruis ce que je deviens je tue ce que j'aime »
(Poésie noire, poésie blanche). Daumal déclare qu'il est « amoureux
de sa mort » ; pourtant, selon son propre aveu, il croit à

« l'horrible » (c'est-à-dire qu'il en a peur). Pour lui, principe de vie et principe de mort relèvent du même ordre, d'où ces images de cadavres qui hantent ses poèmes pour symboliser le temps, grande « Gueule céleste ».

L'attirance du vide

Jean-Pierre Duprey est marqué lucidement par l'attirance du vide et donc de la mort, « qui n'a pas d'importance, dit-il, puisque c'est une sorte de génuflexion ». *La Fin et la Manière* sera son dernier recueil : un après-midi, il le met sous pli pour André Breton et demande à sa femme de le porter à la poste. Quand elle rentre, elle trouve Duprey pendu à une poulie de son atelier. « Je retirerai ma tête de trop dans mon chemin », avait-il prévenu. Vivre sa mort et en décider, c'est à la fois se réaliser et faire acte de liberté puisque « dedans [...] la mort n'attend plus » et qu'il n'y a « Rien devant et tout APRÈS » (« Un safran de mars », *la Fin et la Manière*).

À la lumière noire des quelques exemples qui précèdent, on pourrait conclure que la poésie mène à un échec, « le rêve conduit à la mort » affirmait déjà, dans un de ses dessins, le peintre symboliste Odilon Redon. En fait, il n'en est rien : si le poète est vraiment « voleur de feu », il s'y brûle parfois. Alors la tête s'embrase pour délier les horizons. Le poète se retrouve à l'asile comme Artaud ou Duprey. Ou bien il met fin à son cauchemar de chair pour se faire « des os avec la couleur de l'air » (Duprey). C'est à cette tentation qu'ont succombé avant Duprey, Vaché, Rigaud et Crevel, compagnons de route du surréalisme. Ils se sont ainsi retrouvés « à chaque instant dans le sac noirci de [leur] éternité » (Duprey).

Exotismes

La dimension de l'exotisme n'est pas spécifique au surréalisme. Mais l'esprit d'aventure que le mouvement a voulu faire souffler sur toutes les activités de la vie ne pouvait qu'en favoriser l'expression comme ouverture sur le monde et libération de toutes les puissances du rêve et du langage. L'exemple de Rimbaud, « l'homme aux semelles de vent », de ses errances et de son mystérieux renoncement à la poésie avec son départ pour l'Afrique fascine les surréalistes. Chercher de nouveaux horizons pour, comme il l'avait voulu, « changer la vie » leur apparaît une nécessité. L'expérience de Gauguin aussi, s'établissant en Polynésie et y trouvant une source d'inspiration décisive, montrait l'intérêt des cultures primitives pour remettre en question les traditions usées de l'art occidental.

L'art nègre avait déjà influé sur le développement de l'avant-garde en peinture et en sculpture, avec le cubisme en particulier, en ce début du XXᵉ siècle. L'ethnologie, qui se constituait comme une science nouvelle, permettait alors de découvrir que les peuples dits « primitifs » ou « sauvages » n'étaient pas des barbares et que leurs œuvres, leurs rites ou leurs mythes détenaient un très fort pouvoir poétique.

La poésie de l'exil avant le surréalisme

Plusieurs poètes français furent amenés à cette époque, par les circonstances de leur vie, à rénover l'expression de l'exotisme en lui insufflant une sincérité qui manquait parfois aux romantiques, touristes européens en mal de rêverie. C'est le cas notamment de Saint-John Perse et de Supervielle.

Le premier, dès le début du siècle, dans son recueil de jeunesse *Éloges,* associe aux images de son île natale le sentiment nostalgique d'avoir quitté un paradis à jamais perdu. Ses évocations ne sont pas seulement pittoresques ou purement formelles, comme celles des parnassiens, Leconte de Lisle (1812-1894), ou Heredia (1842-1905) par exemple. Elles composent, pour célébrer la beauté de la nature, un hymne qui prend un caractère cosmique et mythique. Plus tard, dans *Amers,* il élargit son expérience personnelle à celle de l'humanité tout entière, mettant en relation et en opposition les artifices d'une civilisation légendaire et intemporelle avec les forces de la mer et du monde physique. « Surréaliste à distance », Saint-John Perse dédouble ainsi l'exotisme, dans le temps et dans l'espace, et sa poésie repousse au plus loin les frontières de l'imagination et de l'aventure humaine. Chez Supervielle, c'est aussi un exotisme de l'exil et pas uniquement de la découverte qui s'exprime. Déchiré par sa double appartenance à l'Amérique du Sud et à la France, il se sent toujours ailleurs. Son imagination, nourrie par ses longues traversées de l'Atlantique, rêve de ports, d'escales, de débarcadères (titre de l'un de ses recueils). Il associe et oppose l'étendue des grandes plaines américaines à celle de la haute mer, qui le prive d'enracinement. Mais ce décentrement perpétuel lui fait sentir tout le mystère du monde et de la vie.

Les aventures de la ville

Pourtant, le surréalisme semble être d'abord un mouvement poétique issu de la civilisation urbaine. Paris en est le foyer et la vie moderne en est le décor, comme on le voit dans les récits d'Aragon (*le Paysan de Paris,* 1926) et de Breton (*Nadja,* 1928). Mais, loin de vouloir en donner une description réaliste, ces poètes ont trouvé là une source d'insolite et de fantastique, ont créé de nouveaux « mystères de Paris », comme dans le roman d'Eugène Sue au milieu du XIXe siècle. Apollinaire, dans *Alcools,* et Léon-Paul Fargue, qui se voulait « piéton de

Paris », ont dégagé l'atmosphère troublante de la métropole moderne derrière son apparence de rationalité et d'activité vouée au triomphe du progrès technique. L'image de la ville se charge en effet de souvenirs et de rêves personnels qui y trament des itinéraires secrets (Fargue, « la Porte » ; Breton, « l'Aigrette »). La modernité du paysage urbain, autrefois exprimée par Baudelaire dans les « Tableaux parisiens » des *Fleurs du mal* (1857), est maintenant voilée d'une brume onirique qui la fait ressembler à la forêt mythique d'un monde primitif.

Le retour aux mythes

En s'attachant aux mythes fondamentaux, les surréalistes ont redonné toute sa richesse à l'exotisme. « Des mythes nouveaux naissent sous chacun de nos pas. Là où l'homme a vécu commence la légende, là où il vit », écrit Aragon dans la préface du *Paysan de Paris*. Qu'ils voyagent réellement ou en imagination, les surréalistes et leurs proches convoquent toutes les cultures primitives pour y puiser de nouvelles images, de nouvelles sensations, de nouvelles réalités. Dans son recueil *Ailleurs,* Henri Michaux crée de multiples peuples ou tribus aux coutumes bizarres, voire extravagantes, mais toujours représentatives de comportements humains possibles. Michel Leiris, également ethnologue et spécialiste de l'Afrique, en évoque les fétiches et les totems (« le Chasseur de têtes »). Antonin Artaud s'inspire de la mythologie d'Indiens du Mexique, les Tarahumaras (« Tutuguri »). Benjamin Péret s'est rendu lui aussi au Mexique, où la Seconde Guerre mondiale l'a forcé à se réfugier. En y entreprenant une anthologie des mythes, légendes et contes populaires d'Amérique, il déclare : « le commun dénominateur unissant le sorcier, le poète et le fou ne peut être que la magie ». Son long poème « Air mexicain » illustre sa fascination pour la culture aztèque.

L'exotisme est aussi une source féconde de renouvellement du langage poétique. Le poète antillais Aimé Césaire, dont Breton estimait l'œuvre « belle comme l'oxygène naissant », enrichit son écriture d'un vocabulaire aussi luxuriant que la nature tropicale, comme l'avait fait avant lui Saint-John Perse, natif de la même région. Les noms de peuples et de pays lointains, d'animaux et de plantes étranges composent une géographie, un bestiaire et un herbier fascinants qui donnent le sentiment du merveilleux. Comme l'écrivait Breton dans *l'Amour fou,* « Tranchons-en : le merveilleux est toujours beau, n'importe quel merveilleux est beau, il n'y a même que le merveilleux qui soit beau. »

Le lyrisme et la femme

La femme, un avenir pour l'homme

« Dans le surréalisme, la femme aura été aimée et célébrée comme la grande promesse, celle qui subsiste après avoir été tenue », affirme Breton dans *Du surréalisme dans ses œuvres vives.* L'exaltation de la femme relève, en tout cas, du grand lyrisme. Il s'agit d'un thème récurrent dont l'origine et la fonction sont doubles : la femme incarne l'objet du désir, mais elle représente aussi une échelle de valeurs qui s'opposent à celles du mâle guerrier. Elle correspond ainsi à une alternative psychologique pour le genre humain. « Le temps est venu, rappelle Breton dans *Arcane 17,* de faire valoir les idées de la femme aux dépens de celles de l'homme, dont la faillite se consomme assez tumultueusement aujourd'hui. »

Si les surréalistes ont toujours appelé à l'émancipation de la femme, tout en précisant son rôle dans l'émancipation de l'esprit, c'est surtout la représentation de la femme comme source du désir qui domine dans leurs productions. Le désir est en effet le grand révélateur de l'inconscient, et la femme ouvre les portes du merveilleux. Elle est amour et poésie, car « la poésie se fait dans un lit comme l'amour » (A. Breton, « Sur la route de San Romano », *Oubliés*), et « Où la femme est secrète, l'homme est inutile » (P. Eluard, *les Yeux fertiles*).

La femme, médiatrice de l'univers

Ce thème se trouve ainsi fortement teinté d'érotisme mais indique toujours un passage possible vers la spiritualité. Les poètes évoquent l'image entière de la femme, sa présence universelle ; elle est alors magicienne et se confond avec le jour, elle berce de son spectre les nuits et les miroirs, elle comble les rêves de délices et de soleils de chair. « Elle est tout ce que vous voudrez / elle est le plaisir tout le plaisir l'unique plaisir » (Benjamin Péret, « les Jeunes Filles torturées », *le Grand Jeu*). La femme devient alors tout ou partie d'univers quand ce n'est pas l'univers lui-même qui prend corps de femme. Ainsi Leiris assimile son image à celle de l'océan primordial : « Une fille étend les bras parallèlement aux lignes très pures de son corps / alors voici que le caillou s'entrouvre / révélant sa mer intérieure son écume cachée » (« Jeunes Filles », *Haut-Mal*).

À la femme toujours s'associe l'élément de l'eau — écume, mer ou pluie —, parce que le plaisir est peut-être liquide. Pour Leiris, la femme prend les dimensions de la nature même, tandis qu'elle initie le poète à définir ses limites : elle est son « ciel et le double miroir qui multiplie les murs et verse l'infini dans [sa] prison » (« Léna », *Haut-Mal*). Desnos insiste sur l'unicité de l'amour et sur le rôle déterminant de

226

la femme comme guide : « Jamais d'autre que toi ne saluera la mer à l'aube quand fatigué d'errer moi sorti des forêts ténébreuses et des buissons d'orties je marcherai vers l'écume » (« Jamais d'autre que toi », *Corps et Biens*).

Eluard, pour qui « l'amour c'est l'homme inachevé » (« À perte de vue dans le sens de mon corps », *la Vie immédiate*), conçoit ce qu'on pourrait appeler un « gynécomorphisme » de l'univers. Tous les éléments glanés dans la nature envoient à l'image de la femme et toute évocation de celle-ci éclate en parcelles d'eau et de lumière, de terres et d'oiseaux, d'astres, de barques, de mousses ou de nids :
« Tu es vivante / Et curieuse un désert se peuplerait pour toi » (« les Semblables », *la Vie immédiate*) ;
« Entre tes deux bras monde sans couleur
Ton corps prend la forme des flammes » (« Ma vivante », *les Yeux fertiles*) ;
« Tu es comme la nature » *(ibid.)* ;
« Tu te lèves l'eau se déplie
Tu te couches l'eau s'épanouit
Tu es l'eau détournée de ses abîmes
Tu es la terre qui prend racine
Et sur laquelle tout s'établit » *(Facile)*.

Le médium qui se révèle dans la femme « faite pour elle-même / Et plus nue que réelle » (P. Eluard, *les Yeux fertiles*) ouvre pour le poète les portes du sommeil et du rêve. La femme personnifie le désir qui se donne libre cours dans l'onirisme et qui se manifeste plus encore à l'état d'hypnose ou dans l'exercice de l'écriture automatique ; elle reflète les désirs du poète ; elle est donc « ressemblante », comme le dit Eluard, même si, dans le jeu des métamorphoses, son image reste floue.

Dans *l'Union libre,* André Breton exalte la femme comme la grande médiatrice du jour, de la nuit, des éléments et des arcanes inscrits dans la vie ; tout le poème (voir p. 34 à 36) témoigne de cet hymne à la femme et à l'amour.

Le blason du corps féminin

Cependant, le corps de la femme est souvent décrit comme
morcelé. Ce sont les yeux, les cheveux, les mains ou les bras,
les seins, le sexe ou les jambes qui apparaissent, extraordinairement libérés de toute appartenance corporelle, comme des
points de fixation du désir. En général, le burlesque auquel
aurait pu tendre un tel jeu métonymique est évité, sauf parfois
chez Péret, qui recherche cet effet. L'évocation de la femme
prend alors l'allure d'une hallucination emplie de lyrisme.

Si les yeux de l'aimée constituent un thème récurrent, ce
sont surtout les seins qui hantent l'imagination comme objets
souverains : « Je vois leurs seins qui mettent une pointe de
soleil dans la nuit profonde » (A. Breton, « Un homme et
une femme absolument blancs », *le Revolver à cheveux blancs*) ;
« Si dans le fond de l'Opéra deux seins miroitants et clairs /
Composaient pour le mot amour la plus merveilleuse lettrine
vivante » (« l'Aigrette », *Clair de terre*) ; « Femme aux seins de
creuset de rubis / Aux seins de spectre de la rose sous la
rosée » *(l'Union libre)*.

Ainsi, pour Breton, la femme éclaire le quotidien qu'elle
modifie par sa présence même. Elle devient sirène « aux beaux
seins » pour Desnos ou se fait « fille aux seins de soleil »
chez Péret.

L'amour fou

On pourrait estimer que cette exaltation de la femme et de
l'amour ne renouvelle que médiocrement la perspective
romantique. Mais l'élan de l'« amour fou » s'exerce dans un
tout autre esprit. Il est rayonnant et non pas ténébreux,
triomphant et non pas désespéré, riche d'aventures et de
découvertes au lieu d'être condamné à l'échec, comme chez
les romantiques, par la loi implacable du Destin. Débarrassé
de tout arrière-plan religieux, l'amour humain n'est plus le

reflet atténué d'un idéal surnaturel, il se transcende lui-même, il est sa propre loi, son propre maître, il n'a pour but et pour fin que lui-même : « la grande malédiction est levée, c'est dans l'amour humain que réside toute la puissance de régénération du monde » (A. Breton, *Arcane 17*).

Les surréalistes se sont souvent référés au mythe platonicien de l'androgyne *(le Banquet)* pour désigner cette complémentarité miraculeuse de l'homme et de la femme qui fait retrouver dans l'amour l'unité originelle de l'être. Vivre l'amour fou, c'est reconstituer le « bloc de lumière » [...], « posséder la vérité dans une âme et un corps » (A. Breton, *Arcane 17*). Cet accomplissement est bien à l'opposé de la dépression romantique. Dans le surréalisme, les chants de l'espoir amoureux sont les chants les plus beaux.

Burlesque et humour

L'invention de l'humour noir

Le surréalisme a permis d'accéder à la poésie par le rire et le sourire. Ce mouvement balaye toutes les distinctions de genres, pratique tous les niveaux de style et mène une perpétuelle révolte contre l'esprit de sérieux. En de nombreuses occasions, il sait faire triompher l'humour et montre que le comique, le cocasse, le burlesque sont non seulement des effets de la plus haute valeur esthétique, mais des manifestations, parmi les plus aiguës, de l'intelligence humaine.

Dans sa préface à l'*Anthologie de l'humour noir* (1940), André Breton refuse de se livrer à une définition explicite de l'humour mais le désigne à la fois comme « le seul commerce intellectuel de haut luxe » et « révolte supérieure de l'esprit », attitude dont se réclament en permanence les surréalistes. Il se réfère au philosophe allemand Hegel (1770-1831) et à sa notion d'humour objectif et effectue un rapprochement avec la formule surréaliste du « hasard objectif ». Humour et hasard relèvent d'une attitude d'esprit propre à favoriser les rencontres les plus surprenantes et les plus créatives pour l'imagination : « Nous avons annoncé d'autre part que le sphinx noir de *l'humour objectif* ne pouvait manquer de rencontrer, sur la route qui poudroie, la route de l'avenir, le sphinx blanc du *hasard objectif,* et que toute la création humaine ultérieure serait le fruit de leur étreinte » *(Anthologie de l'humour noir).* C'est au surréalisme que l'on doit l'expression particulière « humour noir » pour désigner cette aptitude à sourire et à faire sourire des expériences les plus sombres de la vie, à réunir le tragique et le comique au point qu'ils « cessent d'être perçus contra-dictoirement ».

Jeux de mots et mots d'esprit

Pour son analyse de l'humour, André Breton se réfère aussi à l'œuvre de Freud et à sa théorie de l'inconscient. Freud avait découvert dans le mot d'esprit un révélateur des pulsions cachées et refoulées. Les surréalistes, qui s'attachaient à faire parler l'inconscient dans leurs comptes rendus de rêves, ne pouvaient manquer de trouver une caution dans cette théorie. Les jeux d'écriture auxquels ils se sont livrés — cadavres exquis, proverbes détournés, calembours, anagrammes et contrepèteries — sont ainsi à la fois des exercices de création verbale et des coups de sonde dans les profondeurs de la personnalité humaine. La série de *Rrose Sélavy* (transcrite par Robert Desnos, mais en réalité fruit d'une élaboration collective) contient ainsi une suite de formules cocasses, obtenues par interversion de lettres et de syllabes ou par allitérations et homonymies, offrant une vraie valeur poétique. Les surréalistes s'inspirent également de certaines formes de poésie populaire (chansons naïves, comptines enfantines...) pour les parodier. Robert Desnos pratique abondamment ce type d'écriture (« l'Oiseau du Colorado », « l'Araignée à moustaches »), mais aussi Benjamin Péret (« Petit Hublot de mon cœur ») ou Aragon qui, à la suite d'Apollinaire, retrouve par là le lyrisme traditionnel de l'ancienne poésie française (celle du Moyen Âge, chez Rutebeuf et Villon, par exemple) dans un savant dosage de naïveté et d'humour.

Burlesque et merveilleux

Certains effets de cette invention verbale débridée relèvent du burlesque. En ce sens, la liberté de l'imagination autorisée par le surréalisme offre des résultats aussi merveilleux par leur étrangeté que savoureux par leur cocasserie : « la jolie menuiserie du sommeil » (Breton), « la poule noire de la nuit » (Daumal), « une ruine coquille vide / Pleure dans son tablier » (Eluard), « les ciseaux en bâillements de veuve inconsolée » (Leiris). La poésie de Prévert en donne des exemples nombreux avec les procédés de l'inventaire (« Cortège », *Paroles*) et du coq-à-l'âne qui juxtaposent les images les plus disparates. D'autres poètes, proches en cela du surréalisme, comme Ponge et Michaux, ont obtenu des effets analogues. Le principe de l'entreprise de Francis Ponge, qui consiste à humaniser les choses et les animaux, lui permet d'offrir des résultats que l'on peut qualifier de burlesques, en bouleversant l'échelle des valeurs morales et esthétiques. Ainsi la grenouille devient-elle une « Ophélie manchote », l'édredon incite à philosopher, le morceau de pain symbolise la Terre et l'huître apparaît comme un univers. Dans une autre voie, Henri Michaux pratique la dérision en brouillant les repères rassurants de l'expérience habituelle.

Dans « la Nature fidèle à l'homme » *(Lointain intérieur),* il retourne la traditionnelle admiration de la nature en une dénonciation ironique de la faiblesse morale des hommes. De même, dans « le Chêne » *(ibid.),* il fait d'un symbole de force vivace un exemple de débilité ridicule. Un autre poème, « le Grand Violon » *(ibid.),* illustre au mieux l'exemple du burlesque associé au tragique pour faire ressentir, mêlées, l'angoisse devant la condition humaine et la lucidité de l'esprit.

Burlesque et tragique

Henri Michaux est surtout un prince de l'humour noir (quoique André Breton ne l'ait pas cité dans son *Anthologie*). La suite des récits poétiques de *Plume* illustre parfaitement cette esthétique où l'absurde le dispute en acidité à la vérité de nos peurs, de nos prétentions et de nos incohérences. Pour sa part, après avoir cité des auteurs plus notoires comme Swift, Baudelaire, Nietzsche ou Rimbaud, Breton a préféré retenir dans son *Anthologie* les noms de quelques-uns de ses amis comme le peintre Marcel Duchamp, ou les poètes Benjamin Péret, Jacques Prévert, Jean-Pierre Duprey. De Péret Breton dit que, chez lui, « l'humour jaillit comme de source » en lui reconnaissant le mérite essentiel d'avoir « tout permis » avec les mots. Cet humour, d'une gaieté parfois brutale, joue aussi bien avec les valeurs consacrées que sont l'autorité et la tradition (armée, religion...) qu'avec les douleurs et les angoisses de l'individu (« Des cris étouffés »). Prévert exerce le même esprit caustique et volontiers subversif (« Pater noster », *Paroles*). Comme l'écrit Breton à son sujet, « il dispose souverainement du raccourci susceptible de nous rendre en un éclair toute la démarche sensible, rayonnante, de l'enfance, et de pourvoir indéfiniment le réservoir de la révolte ». Enfin, Jean-Pierre Duprey, « prince du royaume des Doubles », force « la dose du noir pur » :

« Lentement, peinant de quatre membres d'air

D'air engourdi,
Passé comme à la lenteur des murs,
Le mort appuie l'ouvert de sa tête. » (« Mouvement », *la Fin et la Manière.*)

Cette drôlerie funèbre témoigne de ce que, sans être insensibles au malheur, les surréalistes ont su garder avec la sentimentalité ordinaire la distance qui signale ici la poésie.

Les formes poétiques

Il n'existe pas de règles de versification pour les surréalistes, qui rejettent a priori toute convention prosodique ou métrique. L'ancienne poétique, déjà contestée au XIXᵉ siècle, ne pouvait convenir à leur pratique d'une écriture totalement libérée. C'est d'abord le poème à forme fixe qui rend l'âme : bien qu'André Breton et Benjamin Péret aient pratiqué le sonnet dans leurs premiers essais littéraires, suivant en cela l'exemple de poètes comme Mallarmé (1842-1898) ou Valéry (1871-1945), ils abandonnent vite les conventions et les artifices de ces modèles imposés pour se jeter à corps perdu dans la quête de formes inédites. Ils adoptent alors le vers libre, héritage des symbolistes, en particulier de Gustave Kahn (1859-1936), qui passe pour en être l'inventeur, et poursuivent les tentatives de poètes comme Guillaume Apollinaire, Valery Larbaud (1881-1957) ou Pierre Reverdy (1889-1960).

Les images surgies de l'automatisme...

L'écriture automatique fait naître des images saisissantes et insolites, tantôt burlesques, tantôt merveilleuses, qui toutes provoquent la surprise, effet poétique nouveau déjà pressenti par Apollinaire. Le poète, en laissant s'exprimer l'inconscient, se surprend lui-même de ses trouvailles dont il n'est nullement responsable.

C'est donc avant tout par l'abondance et la richesse d'images extraordinaires que se reconnaissent des textes surréalistes. Mais il ne faut pas confondre l'écriture automatique et le poème, qui exige souvent de la part de l'auteur un remaniement visant à une mise en forme. Eluard distinguait nettement les poèmes des textes automatiques ou des récits de rêve ; on sait par ailleurs que Breton retravaillait son écriture. Si une part non négligeable de conscience intervenait nécessairement dans leur production, il fallait néanmoins que jamais « l'automatisme ne cesse de cheminer sous roche » (A. Breton, *Entretiens*). Seul Péret, paraît-il, écrivait ses poèmes d'un seul trait et ne se souciait d'aucun « repentir ». C'est ce qui donne sans doute à ses textes leur fraîcheur cahotique et tapageuse, leur invention provocante où s'enchevêtrent, s'étirent, éclatent les images les plus surprenantes, les moins attendues, comme dans cet extrait de *Dormir dormir dans les pierres* :
« C'est le jour des liquides qui frisent
des liquides aux oreilles de soupçon
dont la présence se cache sous le mystère des triangles. »
Benjamin Péret est sans doute, des poètes surréalistes, celui dont l'automatisme est le moins suspect, le plus authentique.

...et leur mise en forme

La mise en forme des images implique de la part de chaque poète un rythme, un souffle qui lui est propre. Par exemple, les longues phrases « à tiroirs » de Péret contrastent avec la concision un peu précieuse d'Eluard, qui a tendance à sacrifier la syntaxe au profit d'un vers ciselé sur une image. Avec Péret, les images jaillissent les unes après les autres, à la façon d'un feu d'artifice, tout en utilisant naturellement les ressorts traditionnels de la langue que le poète détourne pour faire accéder le lecteur à un monde jamais vu, parce que jamais dit. Il accumule ainsi les propositions relatives qui, loin de compléter l'antécédent, viennent en perturber le sens. S'établit alors un « court-circuit mental » d'où naît l'image :

« Rien à l'horizon quand tes deux yeux de porto clair
ne laissent plus passer aucun rayon de cette lumière
où
minuscule
se précipite décomposé par mille prismes rivaux [...]
le sang qui me fuit comme un chat qui a volé une côtelette
et me laissera pareil à une fourchette brisée
dans un terrain vague où croissent des géraniums... »
(« Toujours », *Un point c'est tout*).

Eluard, en revanche, se livre souvent à un échafaudage de propositions nominales où il procède par rapprochement et accumulation. À l'opposé, une image seule peut, pour Eluard, justifier tout le poème, comme le montre celui-ci (XXIX, *l'Amour la poésie*) :

« Il fallait bien qu'un visage
Réponde à tous les noms du monde. »

Eluard tend à utiliser naturellement les mètres traditionnels. Le rythme de l'octosyllabe, celui de l'alexandrin s'imposent sans préméditation apparente de sa part. Il y a chez lui un souci d'ordonnance, une recherche dans l'agencement des sonorités qui font sans doute de lui le plus « classique » des surréalistes : « Ô nuit perle perdue / Aveugle point de chute où le chagrin s'acharne » (« les Maîtres », *la Barre d'appui*). « La courbe de tes yeux fait le tour de mon cœur » (« la Courbe de tes yeux, *Nouveaux Poèmes*).

André Breton, lui, recherche avant tout la majesté d'une expression porteuse d'images fulgurantes. Ses phrases sont donc amples, dépliées sur l'inattendu. Les vers rebondissent les uns sur les autres, repoussant l'effet de surprise en fin de

mouvement. Parfois même perçoit-on le rythme de l'alexandrin : « Je vois leurs seins qui sont des étoiles sur des vagues » (« Un homme et une femme absolument blancs », *le Revolver à cheveux blancs*) ; « La poésie se fait dans un lit comme l'amour » (« Sur la route de San Romano », *Oubliés*) ; « Si seulement il faisait du soleil cette nuit » (« l'Aigrette », *Clair de terre*). Ces faux alexandrins sont souvent prolongés de quelques syllabes qui en amplifient le chant solennel : « Tout au fond de l'ombrelle je vois les prostituées merveilleuses » (« Un homme et une femme absolument blancs »). Mais il s'agit le plus souvent de véritables stances libérées de toute isométrie : le vers s'étend sur plusieurs lignes, l'unité sémantique et syntaxique étant assurée par un alinéa ; cette disposition est aussi fréquente chez Péret. Leiris adopte un rythme similaire. La longueur de son vers oscille entre celui de Breton et celui de Péret ; l'alexandrin toujours se fait entendre en sourdine :
« et j'aperçus sortant à mi-corps de sa grève
une femme belle et dénudée
qui jetait à la mer ses vêtements défaits » (« Légende », *Haut-Mal*).

En réalité, il est sans doute vain de chercher à définir une poétique surréaliste. Si les rythmes ternaire et quaternaire des vers traditionnellement les plus usités dans la poésie française (l'alexandrin, le décasyllabe et l'octosyllabe) réapparaissent paradoxalement dans ces poèmes pourtant libérés de toute entrave métrique, c'est sans doute parce qu'ils traduisent le rythme naturel de la langue française. La poésie surréaliste ne saurait être enfermée dans un moule aux contours précis : ses productions vont du haïkaï au chant, du poème limité parfois à une seule image au poème-fleuve qui peut s'étendre sur plusieurs pages, voire sur tout un livre. Mais sa caractéristique commune et essentielle consiste dans l'abondance des images insolites.

Le surréalisme
et la critique

Est-ce de la poésie ?

Le surréalisme fut un effort pour maintenir − contre vents
et marées − l'absence de formes comme une porte battante
que le vent de l'être ne cesse de fermer et d'ouvrir à la volée.
Cette absence de formes, agitée, veut promettre à la poésie la
possibilité de continuer, de ne pas mourir, d'être. La poésie
vraiment surréaliste est informe comme l'eau qui coule. À la
limite, il n'y a pas de poésie surréaliste. Le surréalisme est
une tendance de toute la poésie moderne et sa différence
même.

Jules Monnerot, *la Poésie moderne et le sacré*,
Gallimard, 1945.

Les thèmes du surréalisme

Regardons maintenant autour de quels thèmes le surréalisme
prend forme. La littérature est bannie, mais le langage se
confond avec le pur moment de la conscience : les mots sont
idées. L'art disparaît comme fin, seuls compte la vie et
l'approfondissement de la vie, et cependant on donne aux
recherches techniques, aux effets formels... la plus grande
attention possible. Enfin le poète revendique une liberté
absolue : il repousse tout contrôle, il est maître de ses moyens,
libre aussi bien à l'égard de la tradition littéraire qu'indifférent
aux exigences de la morale, de la religion, et même de la lecture.

Maurice Blanchot, *la Part du feu*,
Gallimard, 1949.

Révolutionnaire ou nihilistes ?

Trop bien nés pour tuer tout le monde, les surréalistes, par la logique même de leur attitude, en sont venus à considérer que, pour libérer le désir, il fallait renverser d'abord la société. Ils ont choisi de servir la révolution de leur temps... Mais ces frénétiques voulaient une « révolution quelconque », n'importe quoi qui les sortît du monde de boutiquiers et de compromis où ils étaient forcés de vivre. Ne pouvant avoir le meilleur, ils préféraient encore le pire. En cela, ils étaient nihilistes.

Albert Camus, *l'Homme révolté,*
Gallimard, 1951.

Le surréalisme comme refus de la subjectivité

Tous les moyens lui sont bons pour échapper à la conscience de soi, et par conséquent de sa situation dans le monde. Il adopte la psychanalyse parce qu'elle présente la conscience comme envahie d'excroissances parasitaires dont l'origine est ailleurs ; il repousse « l'idée bourgeoise » du travail parce que le travail implique conjectures, hypothèses et projets, donc perpétuel recours au subjectif ; l'écriture automatique est avant tout la destruction de la subjectivité, lorsque nous nous y essayons [...] Il ne s'agit donc pas, comme on l'a dit trop souvent, de substituer leur subjectivité inconsciente à la conscience mais bien de montrer le sujet comme un leurre inconsistant au sein d'un univers objectif.

Jean-Paul Sartre, *Qu'est-ce que la littérature ?*
Gallimard, 1947.

Le surréalisme est-il un existentialisme ?

Le ravissement devant le merveilleux, qui constitue le climat du surréalisme, suffit-il à le distinguer philosophiquement de l'humanisme existentialiste qui en tant d'esprits a pris aujourd'hui sa place ? À ne pas préférer à l'espoir ce qu'il espère, au désir ce qu'il désire, à l'amour ce qu'il aime, à refuser, d'autre part, cette sorte d'épicurisme aveugle qui consisterait à jouir de l'espoir, du désir et de l'amour comme d'états dépourvus de signification, n'est-on pas nécessairement conduit au thème existentialiste de l'angoisse, et d'une conscience s'ouvrant sur le rien ?

Ferdinand Alquié, *Philosophie du surréalisme,*
Flammarion, 1955.

Freud et les surréalistes : un certain malentendu

Si averti qu'il fût des grandes œuvres classiques et de quelques auteurs modernes, si poète qu'il fût lui-même, Freud entendait se réserver le rôle de l'interprète. L'artiste, à ses yeux, vit l'aventure du désir par la voie détournée de la fiction et de la représentation : la psychanalyse, dans la mesure limitée où elle se reconnaît le droit d'expliquer les œuvres d'art, déchiffrera le sens du désir et l'ampleur du détour.... L'entreprise surréaliste pouvait laisser Freud perplexe, puisqu'elle tendait au premier chef à abolir les distinctions traditionnelles du savoir et de l'art.

Jean Starobinski, *la Relation critique,*
Gallimard, 1971.

Les images surréalistes : obscurité ou nouvelle logique ?

Les images surréalistes sont généralement obscures et déconcertantes, voire absurdes. Les critiques se contentent trop souvent de constater cette obscurité, ou de l'expliquer par l'inspiration inconsciente ou tout autre facteur extérieur au poème. Il me semble pourtant que beaucoup de ces images ne paraissent obscures et gratuites que si elles sont vues isolément. En contexte, elles s'expliquent par ce qui les précède ; elles ont des antécédents plus aisément déchiffrables, auxquels elles sont rattachées par une chaîne ininterrompue d'associations verbales qui relèvent de l'écriture automatique...

À l'intérieur de ce microcosme, une logique des mots s'impose qui n'a rien à voir avec la communication linguistique normale : elle crée un code spécial, un dialecte au sein du langage qui suscite chez le lecteur le dépaysement de la sensation où les surréalistes voient l'essentiel de l'expérience poétique.

Michael Riffaterre, *la Production du texte,*
le Seuil, 1980.

Diversité du surréalisme

On ne considérera pas les productions qui portent l'étiquette surréaliste, même si l'on s'en tient à celles qui ont reçu d'André Breton l'*imprimatur,* sans être frappé de leur diversité [...] « La substance mentale commune à tous les hommes » qu'il importait d'amener à la lumière est décidément autre chose qu'un bien commun ; chaque poète a son destin, sa figure.

Marcel Raymond, *De Baudelaire au surréalisme,*
José Corti, 1966.

Le surréalisme dans l'histoire littéraire

Mouvement collectif, le surréalisme n'a été vivant que pendant de brèves années. Mais ces années ont suffi pour faire de lui l'événement poétique le plus important du demi-siècle. Son intérêt échappe tout d'abord à la critique officielle et au grand public ; pourtant il entre très tôt dans l'histoire : dès 1940, il est dans le domaine public. Bien entendu, il n'est pas le seul phénomène poétique de l'époque, et il n'engage plus son avenir. Mais, comme le romantisme et le symbolisme, il sert d'unité de mesure et de perspective : c'est par rapport à lui que s'ordonne la poésie du demi-siècle.

Gaetan Picon, « Littérature du XXᵉ siècle »
dans *Histoire des littératures,* tome III,
Encyclopédie de la Pléiade, Gallimard, 1958.

Avant ou après la lecture

« La poésie peut être faite par tous »

1. **Le cadavre exquis** : le jeu consiste à utiliser un ruban de papier plié autant de fois qu'il existe de participants. Chacun écrit à son tour un mot et le dissimule avant de le faire passer à son voisin. Le but étant de parvenir à former une phrase, il faut respecter un ordre syntaxique, qui dépend du nombre de participants (exemple, pour cinq joueurs : nom-sujet, adjectif épithète, verbe, nom-complément d'objet direct, adjectif épithète ou adverbe de manière). À la fin du jeu, le ruban déplié permet de découvrir une phrase insolite dont on analysera le caractère poétique.

Pour ceux qui aiment dessiner, il est possible de remplacer chaque mot par une figure, dont deux traits, pas plus, doivent rester visibles pour le participant suivant qui les complète à son gré (etc.).

2. **Les définitions** : la classe se divise en deux groupes ; le premier formule une question du type « Qu'est-ce que » + substantif, suivi éventuellement d'une proposition relative. En même temps, le second groupe, sans connaître bien sûr la question, formule une phrase du type « C'est » + substantif, suivi éventuellement d'une proposition relative. Le résultat est discuté selon sa valeur poétique.

3. **Contrepèteries ou anagrammes** : en intervertissant des syllabes ou des lettres dans un mot ou un groupe de mots, essayer de parvenir à d'autres mots ou groupes de mots inattendus.

4. **Proverbes détournés** : partir de proverbes connus, inverser ou faire varier certaines sonorités pour trouver des jeux de mots subversifs qui permettent d'en transformer le sens.

5. **Collages de textes** : après avoir choisi des titres dans un journal, les découper et les distribuer au hasard sur une feuille de papier ; leur assemblage fortuit permettra une composition poétique « insoluble ».

Ouvertures

1. **Le collage** : cette technique, systématisée par Dada, culmine dans les romans-collages de Max Ernst (*la Femme 100 têtes,* 1929 ; *Rêve d'une petite fille qui voulut entrer au Carmel,* 1930, et *Une semaine de bonté,* 1934). Il s'agit de détourner une image par l'introduction d'un élément provenant d'une autre image. Le résultat de cette opération est un effet de surprise, d'étrangeté, de merveilleux. L'objectif est d'égaler par le graphisme le « court-circuit mental » produit par l'image verbale surréaliste. Max Ernst utilisait de vieilles gravures du début du siècle ; on peut aussi bien découper des photos dans des magazines actuels.

2. **Le frottage** : le procédé, découvert par Max Ernst, est l'équivalent dans le domaine plastique de l'écriture automatique. On place une feuille de papier assez mince sur une surface rugueuse, telle une vieille lame de parquet, et on frotte cette feuille avec une mine de plomb. Une image insolite apparaît, que l'œil interroge. On met en évidence par le dessin l'image apparue. On peut faire de même avec toute sorte de matières : feuilles d'arbre, vieux murs, pierres, toiles de sac effilochées, etc.

Dossiers et exposés

1. Faire apparaître des relations volontiers subjectives entre un poème (ou une image verbale) et une peinture (ou toute autre œuvre plastique) de manière qu'ils s'éclairent réciproquement en dégageant un thème (par exemple, celui

de la femme), voire toute une histoire à prolonger selon l'humeur du moment. On pourra ainsi associer, dans l'insolite et le merveilleux, Magritte et Breton, Ernst et Eluard, Masson ou Dalí et Péret.

2. Les précurseurs du surréalisme en peinture.

Compositions françaises

1. « La valeur de l'image dépend de la beauté de l'étincelle obtenue » affirme André Breton dans le premier *Manifeste du surréalisme*. En vous fondant sur des exemples précis, vous montrerez comment les poètes surréalistes réalisent ce projet.

2. « Il faut connaître le vrai néant effilé, le néant qui n'a plus d'organe. [...] Je parle moi de l'absence de trou, d'une sorte de souffrance froide et sans images, sans sentiment, et qui est comme un heurt indescriptible d'avortements », écrit Antonin Artaud dans *l'Ombilic des limbes*. Expliquer cet aveu d'après la lecture de textes surréalistes.

3. Pour René Daumal, employer un mot signifie « ébranler tout un monde d'associations, de sens figurés et dérivés, de suggestions dont il faut connaître les lois. » En quoi les poèmes surréalistes correspondent-ils à ces exigences ?

4. À partir de vos lectures, vous analyserez le traitement de l'image chez les poètes surréalistes.

5. La part du jeu dans la poésie surréaliste.

6. La poésie surréaliste est-elle une poésie populaire ? Vous étayerez votre point de vue d'exemples tirés de vos lectures.

Bibliographie, filmographie

Éditions de référence

La plupart des recueils de poèmes cités sont disponibles dans la collection de poche « Poésie » (Gallimard).

Dans la « Bibliothèque de la Pléiade » (Gallimard) ont été publiées les œuvres complètes de Paul Eluard (1976) et de René Char (1983) ; celles d'André Breton sont en cours de publication et celles de Prévert paraîtront dans l'année 1992. Les œuvres complètes de Benjamin Péret sont elles aussi en cours d'édition, depuis 1971, chez José Corti.

Études critiques et historiques

Sarane Alexandrian, *le Surréalisme et le Rêve,* Gallimard, 1974.

Ferdinand Alquié, *Philosophie du surréalisme,* Flammarion, 1955.

Philippe Audouin, *les Surréalistes,* « Écrivains de toujours », le Seuil, 1973.

Jean-Louis Bédouin, *Vingt Ans de surréalisme, 1939-1959,* Denoël, 1969.

Jules Monnerot, *la Poésie moderne et le Sacré,* Gallimard, 1945.

Maurice Nadeau, *Histoire du surréalisme,* le Seuil, « Points », 1972.

José Pierre, *le Surréalisme,* Rencontres, 1966.

Marcel Raymond, *De Baudelaire au surréalisme,* José Corti, 1966.

Roger Vailland, *le Surréalisme contre la révolution,* Éditions sociales, 1948.

Divers

André Breton et le mouvement surréaliste, N.R.F., Gallimard, 1990 (réimpression).

La Beauté convulsive, catalogue de l'exposition André Breton (Centre Pompidou, avril-juillet 1991).

Le surréalisme, ses alentours et le cinéma

Entr'acte, de Francis Picabia et René Clair (1923).
Retour à la raison, de Man Ray (1923).
Le Ballet mécanique, de Fernand Léger (1925).
La Coquille et le Clergyman, d'Antonin Artaud (1927).
Le Chien andalou, de Luis Buñuel et Salvador Dalí (1928).
Le Mystère du château de dés, de Marcel Duchamp et Man Ray (1929).
L'Étoile de mer, de Robert Desnos et Man Ray (1929).
L'Âge d'or, de Luis Buñuel (1930).
Voir aussi les films auxquels a participé Prévert (p. 80).

Petit dictionnaire pour commenter la poésie surréaliste

accumulation *(n. f.)* : succession de mots ou d'expressions pour mettre une idée en valeur (voir, par exemple, Breton, l'*Union libre,* p. 34 à 36).

alexandrin *(n. m.)* : vers de douze syllabes. Ex. : « Mémoire de mes morts, trou noir à travers tout » (Daumal, « Perséphone c'est-à-dire double issue », p. 99).

allégorie *(n. f.)* : représentation par une image d'une idée ou d'une réalité échappant aux sens. Ex. : « Là où la mort est belle dans la main / Comme un oiseau saison de lait » (Césaire, « Prophétie », p. 126).

allitération *(n. f.)* : répétition des mêmes consonnes, produisant un effet harmonieux ou pittoresque. Ex. : l'allitération en -ch- dans « Aveugle point de chute où le chagrin s'acharne » (Eluard, « les Maîtres », p. 45).

amplification *(n. f.)* : développement d'une idée ou d'un sujet par des procédés stylistiques.

anaphore *(n. f.)* : répétition expressive d'une même formule, souvent en début de vers ou de phrase. Ex. : la reprise de « Comme » (Aragon, *le Roman inachevé,* p. 68-69).

antiphrase *(n. f.)* : emploi d'un mot ou d'un groupe de mots dans un sens opposé à leur sens courant, le plus souvent dans une intention ironique.

aphorisme *(n. m.)* : formule volontairement courte visant un maximum d'intensité poétique et /ou sémantique. Ex. : « Notre figure terrestre n'est que le second tiers d'une poursuite continue, un point, amont. » (Char, « Lenteur de l'avenir », p. 120).

arcane *(n. m.)* : opération mystérieuse des alchimistes ; par extension, tout secret compréhensible par les seuls initiés.

assonance *(n. f.)* : répétition expressive d'une même voyelle. Ex. : l'assonance en -i- dans « Une ruine coquille vide » (Eluard, « Je croyais le repos possible », p. 45).

blason *(n. m.)* : genre de poème consacré à la description d'un être ou d'un objet, avec éloge ou blâme. Ex. : Breton, *l'Union libre,* p. 34 à 36.

burlesque *(adj.)* : d'un comique fondé sur l'extravagance, outré et souvent trivial. Voir, par exemple, Prévert : « Chanson pour chanter à tue-tête et à cloche-pied », p. 81-82.

cadavre exquis : jeu d'écriture collectif consistant à former une phrase de construction et de sens aléatoires (voir p. 241).

césure *(n. f.)* : pause rythmique dans un vers. Ex. : « Femme tu mets au monde / un corps toujours pareil » (Eluard, *Facile,* p. 44).

contrepèterie *(n. f.)* : interversion humoristique des syllabes d'un mot ou d'un groupe de mots. Ex. : Marcel Duchamp - (le) marchand du sel.

décasyllabe *(n. m.)* : vers de dix syllabes. Ex. : « Ils gémissaient, les vieux couverts de rouille » (Daumal, « Civilisation », p. 101).

diérèse *(n. f.)* : en poésie, prononciation en deux syllabes de deux voyelles habituellement dites d'une seule émission de voix. Ex. : li - erre.

écriture automatique : procédé d'écriture spontanée, sans contrôle rationnel ou esthétique (voir p. 233).

enjambement *(n. m.)* : prolongement d'une phrase ou d'une unité syntaxique d'un vers sur le vers suivant. Voir, par exemple, Daumal : « le Prophète », p. 101 à 103.

fable *(n. f.)* : petit récit, généralement en vers, illustrant un précepte, une morale.

gradation *(n. f.)* : énumération qui présente les idées par importance croissante.

haïkaï ou haïku *(n. m.)* : mot japonais désignant une poésie très courte, composée en 17 syllabes réparties en trois groupes de 5, 7 et 5 ; par extension, poème très bref, comme celui-ci, d'Eluard (extrait de *Capitale de la douleur*) :
« À faire rire la certaine,
Était-elle en pierre ?
Elle s'effondra. »

ironie *(n. f.)* : manière de se moquer de quelqu'un ou de quelque chose en disant le contraire de ce que l'on veut dire.

isométrie *(n. f.)* : égalité de la longueur des vers dans un poème (contraire de « hétérométrie »).

juxtaposition *(n. f.)* : termes placés les uns à la suite des autres sans lien de coordination ou de subordination.

litanie *(n. f.)* : répétition incantatoire fondée sur un même rythme. Ex. : *Air mexicain* de Benjamin Péret, p. 56 à 59.

lyrisme *(n. m.)* : expression poétique et soutenue des sentiments.

merveilleux *(n. m.)* : genre littéraire présentant un univers dans lequel des faits extraordinaires sont donnés d'emblée comme naturels, logiques.

métaphore *(n. f.)* : chez les surréalistes, image verbale obtenue par substitution d'un mot à un autre. Ex. : « Ô nuit perle perdue » (Eluard, « les Maîtres », p. 45).

métonymie *(n. f.)* : figure de style désignant un objet par un autre objet apparenté (la partie pour le tout, le contenant pour le contenu, etc.).

mètre *(n. m.)* : nature du vers, déterminée par le nombre et la disposition des syllabes. La métrique est la science de la versification.

octosyllabe *(n. m.)* : vers de 8 syllabes. Ex. : « Tous les secrets tous les sourires » (Eluard, « La terre est bleue... », p. 44).

ode *(n. f.)* : 1. Dans l'Antiquité, poème destiné à être mis en musique ; 2. Poème lyrique divisé en strophes.

oxymore *(n. m.)* : association de termes a priori contradictoires. Ex. : « Un immense brin d'herbe » (Prévert, « Chanson pour chanter à tue-tête et à cloche-pied », p. 81).

parodie *(n. f.)* : imitation d'une œuvre sérieuse dans l'intention de provoquer le rire.

période *(n. f.)* : agencement de plusieurs membres de phrases pour former un ensemble harmonieux et d'une certaine longueur.

personnification *(n. f.)* : représentation d'une notion abstraite, d'une chose ou d'un animal sous l'aspect d'un être humain. Ex. : « Le feu, vêtu de deuil » (Péret, *Air mexicain*).

poétique *(n. f.)* : ensemble des lois régissant la poésie.

prosodie *(n. f.)* : ensemble des règles relatives à la longueur des syllabes.

récurrent *(adj.)* : un thème récurrent est un thème qui réapparaît par intervalles et dont chaque réapparition est fonction des apparitions précédentes.

rejet *(n. m.)* : renvoi au début du vers suivant d'un mot nécessaire à la compréhension du vers précédent. Ex. : « Un jour ou l'autre / Il n'y aura plus qu'un jour et puis un jour » (Aragon, « Air du temps », p. 63).

sonnet *(n. m.)* : poème composé de 14 vers distribués en deux quatrains (strophes de 4 vers) et deux tercets (strophes de 3 vers).

strophe *(n. f.)* : ensemble de vers présentant un sens complet.

syllabisme *(n. m.)* : versification reposant sur le décompte des syllabes.

symbolisme *(n. m.)* : système de représentation des choses et des idées par des images exprimant leur nature et leur vérité profonde. Ce fut aussi le nom d'une école poétique de la fin du XIXe siècle.

synérèse *(n. f.)* : prononciation groupant en une seule syllabe deux voyelles contiguës d'un même mot (à l'inverse de la diérèse).

synesthésie *(n. f.)* : association de sensations d'origine différente (visuelles, tactiles, etc.), mais considérées comme produisant des impressions similaires.

verset *(n. m.)* : phrase ou suite de phrases correspondant à une unité rythmique d'un poème.

Dans la nouvelle collection
Classiques Larousse

H. C. Andersen : *La Petite Sirène, et autres contes.*

H. de Balzac : *les Chouans.*

P. de Beaumarchais : *le Barbier de Séville* (à paraître) ; *le Mariage de Figaro* (à paraître).

P. Corneille : *le Cid ; Cinna ; Horace ; l'Illusion comique* (à paraître) ; *Polyeucte.*

F. R. de Chateaubriand : *Mémoires d'outre-tombe,* livres I à III ; *René.*

A. Daudet : *Lettres de mon moulin.*

D. Diderot : *le Neveu de Rameau* (à paraître).

G. Flaubert : *Hérodias ; Un cœur simple.*

T. Gautier : *Contes et récits fantastiques* (à paraître).

J. et W. Grimm : *Hansel et Gretel, et autres contes.*

V. Hugo : *Hernani.*

E. Labiche : *la Cagnotte ; le Voyage de M. Perrichon* (à paraître).

La Bruyère : *les Caractères.*

La Fontaine : *Fables,* livres I à VI.

P. de Marivaux : *la Dispute* (à paraître) ; *la Double Inconstance ; les Fausses Confidences ; l'Île des esclaves ; le Jeu de l'amour et du hasard ; le Triomphe de l'Amour* (à paraître).

G. de Maupassant : *la Peur et autres contes fantastiques ; Un réveillon, contes et nouvelles de Normandie.*

P. Mérimée : *Carmen ; Colomba ; Mateo Falcone* (à paraître) ; *la Vénus d'Ille.*

Molière : *l'Amour médecin* (à paraître) ; *Amphitryon ; Dom Juan ; l'École des femmes ; les Femmes savantes ; les Fourberies de Scapin ; George Dandin ; le Malade imaginaire ; le Médecin malgré lui ; le Misanthrope ; Monsieur de Pourceaugnac* (à paraître) ; *les Précieuses ridicules ; le Tartuffe.*

Ch. L. de Montesqieu : *Lettres persanes.*

A. de Musset : *les Caprices de Marianne* (à paraître) ; *Lorenzaccio ; On ne badine pas avec l'amour* (à paraître).

Les Orateurs de la Révolution française.

Ch. Perrault : *Histoires ou Contes du temps passé.*

E. A. Poe : *Double assassinat dans la rue Morgue, la Lettre volée.*

J. Racine : *Andromaque ; Bajazet* (à paraître) ; *Bérénice ; Britannicus ; Iphigénie ; Phèdre.*

Edmond Rostand : *Cyrano de Bergerac.*

J.-J. Rousseau : *Rêveries d'un promeneur solitaire* (à paraître).

R. L. Stevenson : *l'Ile au trésor* (à paraître).

Le Surréalisme et ses alentours.

Voltaire : *Candide ; Zadig* (à paraître).

(extrait du catalogue général des *Classiques Larousse.*)

Collection fondée par Félix Guirand en 1933, poursuivie par Léon Lejealle de 1945 à 1968 puis par Jacques Demougin jusqu'en 1987.

Nouvelle édition
Conception éditoriale : Noëlle Degoud.
Conception graphique : François Weil.
Coordination éditoriale : Emmanuelle Fillion et Marianne Briault.
Collaboration rédactionnelle : Cécile Botlan.
Coordination de fabrication : Marlène Delbeken.
Documentation iconographique : Nicole Laguigné.
Carte p. 14-15 : Jean-François Poisson.

COMPOSITION SCP BORDEAUX.
IMPRIMERIE HÉRISSEY. — ÉVREUX. — N° 57045.
Dépôt légal : Février 1992. N° de série Éditeur : 16469.
IMPRIMÉ EN FRANCE *(Printed in France)*.
871587. — Février 1992.